CLASSICOCOLLÈGE

D0288714

Le Malade imaginaire

MOLIÈRE

Dossier par Catherine Moreau
Certifiée de lettres modernes

BELIN ■ GALLIMARD

Sommaire

Arrêt sur l'œuvre

Groupements de textes

Autour de l'œuvre

Fenêtres sur...   220

LE MALADE IMAGINAIRE

Pierre Brissart, illustration pour les *Œuvres complètes*
de Molière, gravure, 1682.

Introduction

En 1673, Molière est gravement malade. Le soir de la quatrième représentation du *Malade imaginaire*, pièce qu'il vient de créer et où il tient le rôle d'Argan, il est épuisé mais ne veut pas décevoir le public : il maintient le spectacle. Durant le troisième acte, Molière est pris d'un malaise et meurt quelques heures plus tard. Ce soir-là, un vrai malade joue donc un faux malade. En effet, Argan, qui se croit souffrant et s'invente mille maux, est prêt à sacrifier le bonheur de sa fille pour satisfaire son obsession de la médecine. En composant cette comédie-ballet, Molière dénonce l'égoïsme d'un père tyrannique et sa crédulité face à des médecins malhonnêtes et incompétents.

La maladie, l'angoisse de la mort, les échecs d'une médecine impuissante à guérir ses patients : autant de thèmes étonnamment graves pour une comédie. Cependant, le ridicule d'Argan et l'ironie savoureuse de Toinette, servante impertinente, provoquent le rire du spectateur. Les intermèdes chantés et dansés achèvent de donner à la pièce toute sa légèreté. C'est peut-être ce triomphe du divertissement sur la mort qui explique que depuis ce soir de 1673, *Le Malade imaginaire* demeure l'une des pièces de Molière les plus jouées.

PROLOGUE [1]

Après les glorieuses fatigues et les exploits victorieux[2] de notre auguste monarque[3], il est bien juste que tous ceux qui se mêlent d'écrire travaillent ou à ses louanges, ou à son divertissement[4]. C'est ce qu'ici l'on a voulu faire, et
5 ce prologue est un essai des louanges de ce grand prince, qui donne entrée à la comédie du *Malade imaginaire*, dont le projet a été fait pour le délasser de ses nobles travaux.

La décoration représente un lieu champêtre[5] fort agréable.

---

1. Prologue : introduction, avant-propos.
2. Exploits victorieux : allusions aux victoires militaires que Louis XIV vient alors de remporter contre la Hollande (1672).
3. Auguste monarque : respectable roi.
4. Ou à ses louanges, ou à son divertissement : soit à chanter sa gloire, soit à le divertir.
5. Champêtre : campagnard.

Églogue[1]
en musique et en danse

FLORE, PAN[2], CLIMÈNE, DAPHNÉ, TIRCIS, DORILAS[3],
DEUX ZÉPHIRS[4], TROUPE DE BERGÈRES ET DE BERGERS

FLORE

Quittez, quittez vos troupeaux,
Venez, Bergers, venez, Bergères,
Accourez, accourez sous ces tendres ormeaux[5] :
Je viens vous annoncer des nouvelles bien chères,
Et réjouir tous ces hameaux.
Quittez, quittez vos troupeaux,
Venez, Bergers, venez, Bergères,
Accourez, accourez sous ces tendres ormeaux.

CLIMÈNE ET DAPHNÉ

Berger, laissons là tes feux[6],
Voilà Flore qui nous appelle.

5

10

---

1. Églogue : poème sur la vie champêtre dans lequel dialoguent des bergers et des bergères.
2. Flore : dans la mythologie romaine, déesse des fleurs ; **Pan** : dans la mythologie grecque, dieu protecteur des bergers et des troupeaux, qui possède des pieds et des cornes de bouc mais un torse d'homme.
3. Climène, Daphné, Tircis, Dorilas : bergères et bergers.
4. Zéphirs : personnifications du vent.
5. Tendres ormeaux : jeunes ormes (espèce d'arbres).
6. Tes feux : tes amours.

TIRCIS ET DORILAS
Mais au moins dis-moi, cruelle,

TIRCIS
Si d'un peu d'amitié tu payeras mes vœux[1]

DORILAS
Si tu seras sensible à mon ardeur fidèle ?

CLIMÈNE ET DAPHNÉ
Voilà Flore qui nous appelle.

TIRCIS ET DORILAS
15   *Ce n'est qu'un mot, un mot, un seul mot que je veux.*

TIRCIS
Languirai-je toujours dans ma peine mortelle[2] *?*

DORILAS
Puis-je espérer qu'un jour tu me rendras heureux ?

CLIMÈNE ET DAPHNÉ
Voilà Flore qui nous appelle.

---

1. Si d'un peu d'amitié tu payeras mes vœux : si tu m'aimeras un peu, comme je l'espère.
2. Languirai-je toujours dans ma peine mortelle : souffrirai-je toujours de cette douleur d'amour.

ENTRÉE DE BALLET[1]

*Toute la troupe des Bergers et des Bergères
va se placer en cadence[2] autour de Flore.*

CLIMÈNE

*Quelle nouvelle parmi nous,
Déesse, doit jeter tant de réjouissance ?*

DAPHNÉ

*Nous brûlons[3] d'apprendre de vous
Cette nouvelle d'importance.*

DORILAS

D'ardeur nous en soupirons tous.

TOUS

Nous en mourrons d'impatience.

FLORE

*La voici : silence, silence !
Vos vœux sont exaucés, LOUIS[4] est de retour.
Il ramène en ces lieux les plaisirs et l'amour,
Et vous voyez finir vos mortelles alarmes[5].
Par ses vastes exploits son bras voit tout soumis[6] :
Il quitte les armes,
Faute d'ennemis.*

20

25

30

---

1. **Entrée de ballet** : entrée en scène de danseurs.
2. **En cadence** : en rythme.
3. **Nous brûlons** : nous sommes impatients.
4. **Louis** : allusion au roi Louis XIV (1638-1715).
5. **Mortelles alarmes** : grandes inquiétudes.
6. **Son bras voit tout soumis** : son épée (c'est-à-dire sa puissance militaire) a soumis tous ses adversaires.

Tous

Ah ! quelle douce nouvelle !
Qu'elle est grande ! qu'elle est belle !
Que de plaisirs ! que de ris[1] ! que de jeux !
Que de succès heureux !
Et que le Ciel a bien rempli nos vœux !
Ah ! quelle douce nouvelle !
Qu'elle est grande, qu'elle est belle !

ENTRÉE DE BALLET

Tous les Bergers et Bergères expriment par des danses
les transports[2] de leur joie.

Flore

De vos flûtes bocagères[3]
Réveillez les plus beaux sons :
Louis offre à vos chansons
La plus belle des matières.
Après cent combats,
Où cueille son bras[4],
Une ample victoire,
Formez entre vous
Cent combats plus doux,
Pour chanter sa gloire.

---

1. **Ris** : rires.
2. **Transports** : manifestations passionnées.
3. **Bocagères** : que l'on entend dans les campagnes.
4. **Où cueille son bras** : où son bras cueille.

TOUS
Formons entre nous
Cent combats plus doux,
pour chanter sa gloire.

FLORE
Mon jeune amant[1], dans ce bois
Des présents de mon empire[2]
Prépare un prix à la voix
Qui saura le mieux nous dire
Les vertus[3] et les exploits
Du plus auguste des rois.

CLIMÈNE
Si Tircis a l'avantage,

DAPHNÉ
Si Dorilas est vainqueur,

CLIMÈNE
À le chérir je m'engage.

DAPHNÉ
Je me donne à son ardeur.

TIRCIS
Ô trop chère espérance!

---

1. Amant : au xviiᵉ siècle, amoureux, celui qui aime.
2. Des présents de mon empire : à l'aide de fleurs de mon royaume.
3. Vertus : qualités.

DORILAS
Ô mot plein de douceur !

TOUS DEUX
Plus beau sujet, plus belle récompense
65   *Peuvent-ils animer un cœur ?*

Les violons jouent un air pour animer les deux Bergers au combat[1], tandis que Flore, comme juge, va se placer au pied de l'arbre, avec deux Zéphirs, et que le reste, comme spectateurs, va occuper les deux coins du théâtre.

TIRCIS
Quand la neige fondue enfle un torrent fameux,
Contre l'effort soudain de ses flots écumeux
Il n'est rien d'assez solide ;
Digues, châteaux, villes, et bois,
70   *Hommes et troupeaux à la fois,*
Tout cède au courant qui le guide :
Tel, et plus fier, et plus rapide,
Marche LOUIS dans ses exploits.

BALLET
Les Bergers et Bergères de son côté dansent autour de lui, sur une ritournelle[2], pour exprimer leurs applaudissements.

---

1. **Animer** : encourager, pousser ; **combat** : ici, lutte poétique en chansons.
2. **Ritournelle** : refrain.

DORILAS

Le foudre[1] menaçant, qui perce avec fureur
75 *L'affreuse obscurité de la nue[2] enflammée,*
Fait d'épouvante et d'horreur
Trembler le plus ferme cœur :
Mais à la tête d'une armée
LOUIS jette plus de terreur.

BALLET

Les Bergers et Bergères de son côté
font de même que les autres.

TIRCIS

80 *Des fabuleux exploits que la Grèce[3] a chantés,*
Par un brillant amas de belles vérités
Nous voyons la gloire effacée,
Et tous ces fameux demi-dieux[4]
Que vante[5] l'histoire passée
85 *Ne sont point à notre pensée*
Ce que LOUIS est à nos yeux.

BALLET

Les Bergers et Bergères de son côté
font encore la même chose.

---

1. Le foudre : la foudre (souvent masculin au XVIIe siècle).
2. La nue : le ciel.
3. La Grèce : les poètes grecs de l'Antiquité.
4. Demi-dieux : dans la mythologie grecque, héros nés d'un dieu et d'une mortelle ou d'une déesse et d'un mortel.
5. Vante : célèbre.

DORILAS

LOUIS fait à nos temps, par ses faits inouïs,
Croire tous les beaux faits que nous chante l'histoire
Des siècles évanouis :
Mais nos neveux[1]*, dans leur gloire,*
N'auront rien qui fasse croire
Tous les beaux faits de Louis.

BALLET

Les Bergers et Bergères de son côté font encore de même,
après quoi les deux partis se mêlent.

PAN, *suivi de six Faunes*[2].

Laissez, laissez, Bergers, ce dessein téméraire[3]*.*
Hé ! que voulez-vous faire ?
Chanter sur vos chalumeaux[4]
Ce qu'Apollon[5] *sur sa lyre,*
Avec ses chants les plus beaux,
N'entreprendrait pas de dire,
C'est donner trop d'essor[6] *au feu qui vous inspire,*
C'est monter vers les cieux sur des ailes de cire[7]*,*

---

1. Neveux : descendants.
2. Faunes : dans la mythologie romaine, divinités de la campagne, mi-hommes, mi-boucs.
3. Dessein téméraire : projet imprudent.
4. Chalumeaux : flûtes de roseau.
5. Apollon : dans la mythologie grecque, dieu de la musique et de la poésie qui s'accompagne de sa lyre (petite harpe).
6. Essor : élan, énergie.
7. Ailes de cire : allusion au mythe d'Icare. Dans la mythologie grecque, Dédale et son fils Icare sont enfermés dans un labyrinthe ; ils s'enfuient grâce aux ailes de cire fabriquées par le père. Mais Icare, emporté par le plaisir de voler, s'approche trop du soleil : la cire fond et il est précipité dans la mer.

Pour tomber dans le fond des eaux.
Pour chanter de LOUIS *l'intrépide courage,*
Il n'est point d'assez docte[1] voix,
Points de mots assez grands pour en tracer l'image :
105   *Le silence est le langage*
Qui doit louer ses exploits.
Consacrez d'autres soins à sa pleine victoire ;
Vos louanges n'ont rien qui flatte ses désirs ;
Laissez, laissez là sa gloire,
110   *Ne songez qu'à ses plaisirs.*

TOUS

Laissons, laissons là sa gloire,
Ne songeons qu'à ses plaisirs.

FLORE

Bien que, pour étaler ses vertus immortelles,
La force manque à vos esprits,
115 *Ne laissez pas[2] tous deux de recevoir le prix :*
Dans les choses grandes et belles
Il suffit d'avoir entrepris.

ENTRÉE DE BALLET

Les deux Zéphirs dansent avec deux couronnes de fleurs
à la main, qu'ils viennent donner ensuite aux deux Bergers.

---

1. **Docte** : savante.
2. **Ne laissez pas** : ne manquez pas.

CLIMÈNE ET DAPHNÉ, *en leur donnant la main.*
Dans les choses grandes et belles
Il suffit d'avoir entrepris.

TIRCIS ET DORILAS
120 *Ha! que d'un doux succès notre audace est suivie!*

FLORE ET PAN
Ce qu'on fait pour LOUIS, on ne le perd jamais.

LES QUATRE AMANTS
Au soin de ses plaisirs donnons-nous désormais.

FLORE ET PAN
Heureux, heureux qui peut lui consacrer sa vie!

TOUS
Joignons tous dans ces bois
125 *Nos flûtes et nos voix,*
Ce jour nous y convie;
Et faisons aux échos redire mille fois:
« LOUIS est le plus grand des rois;
Heureux, heureux qui peut lui consacrer sa vie! »

DERNIÈRE ET GRANDE ENTRÉE DE BALLET

Faunes, Bergers et Bergères, tous se mêlent,
et il se fait entre eux des jeux de danse, après quoi
ils se vont séparer pour la Comédie[1].

---

1. **Comédie**: pièce de théâtre.

AUTRE PROLOGUE[1]

Le théâtre représente une forêt.

L'ouverture du théâtre se fait par un bruit agréable d'instruments. Ensuite une Bergère vient se plaindre tendrement de ce qu'elle ne trouve aucun remède pour soulager les peines qu'elle endure. Plusieurs Faunes et Ægipans[2], assemblés pour des fêtes et des jeux qui leur sont particuliers, rencontrent la Bergère. Ils écoutent ses plaintes et forment un spectacle très divertissant.

PLAINTE DE LA BERGÈRE

Votre plus haut savoir n'est que pure chimère[3],
Vains[4] et peu sages médecins;
Vous ne pouvez guérir par vos grands mots latins
La douleur qui me désespère:
5 *Votre plus haut savoir n'est que pure chimère.*

---

1. En 1673, le compositeur Jean-Baptiste Lully (1632-1687), grand rival de Molière, a fait interdire par le roi la multiplication des chanteurs et des musiciens dans une troupe de théâtre. Le prologue d'origine ne pouvait donc plus être joué et un nouveau prologue, à un seul personnage, a été composé.
2. Ægipans: dans la mythologie romaine, divinités de la campagne, mi-hommes, mi-chèvres.
3. Plus haut: plus grand; **chimère**: illusion.
4. Vains: inutiles et orgueilleux.

Hélas ! je n'ose découvrir
Mon amoureux martyre [1]
Au berger pour qui je soupire,
Et qui seul peut me secourir.
10 Ne prétendez pas le fuir,
Ignorants médecins, vous ne sauriez le faire :
Votre plus haut savoir n'est que pure chimère.

Ces remèdes peu sûrs dont le simple vulgaire [2]
Croit que vous connaissez l'admirable vertu [3],
15 Pour les maux que je sens n'ont rien de salutaire [4] ;
Et tout votre caquet [5] ne peut être reçu
Que d'un Malade imaginaire.
Votre plus haut savoir n'est que pure chimère,
Vains et peu sages médecins ;
20 Vous ne pouvez guérir par vos grands mots latins
La douleur qui me désespère ;
Votre plus haut savoir n'est que pure chimère.

Le théâtre change et représente une chambre.

---

1. Découvrir mon amoureux martyre : révéler que je suis amoureuse.
2. Le simple vulgaire : les personnes naïves.
3. Vertu : ici, capacité à soigner.
4. Pour les maux que je sens n'ont rien de salutaire : ne peuvent pas guérir mes souffrances d'amour.
5. Caquet : bavardage.

Personnages

ARGAN, malade imaginaire.

BÉLINE, seconde femme d'Argan.

ANGÉLIQUE, fille d'Argan, et amante de Cléante.

LOUISON, petite fille d'Argan, et sœur d'Angélique.

BÉRALDE, frère d'Argan.

CLÉANTE, amant d'Angélique.

M. DIAFOIRUS, médecin.

THOMAS DIAFOIRUS, son fils, et amant d'Angélique.

M. PURGON, médecin d'Argan.

M. FLEURANT, apothicaire.

M. BONNEFOY, notaire.

TOINETTE, servante.

La scène est à Paris.

didascalie

ACTE I

Scène 1

ARGAN

ARGAN, *seul dans sa chambre assis, une table devant lui, compte des parties d'apothicaire[1] avec des jetons, il fait, parlant à lui-même, les dialogues suivants.* – Trois et deux font cinq, et cinq font dix, et dix font vingt. Trois et deux font cinq. «Plus,
5 du vingt-quatrième[2], un petit clystère insinuatif[3], prépara-tif, et rémollient[4], pour amollir, humecter, et rafraîchir les entrailles de Monsieur.» Ce qui me plaît de M. Fleurant, mon apothicaire, c'est que ses parties sont toujours fort civiles[5] : «les entrailles de Monsieur, trente sols[6]». Oui, mais,
10 M. Fleurant, ce n'est pas tout que d'être civil, il faut être aussi raisonnable, et ne pas écorcher les malades. Trente

---

1. Parties d'apothicaire : factures de pharmacien. Argan fait ses comptes à l'aide de jetons représentant des sommes d'argent.
2. Du vingt-quatrième : le vingt-quatrième jour du mois.
3. Clystère insinuatif : lavement (liquide injecté dans les intestins) qui circule facilement dans le corps. Le monologue d'Argan est ponctué de nombreux termes médicaux.
4. Rémollient : adoucissant.
5. Civiles : polies.
6. Sols : anciennes pièces de monnaie. Un sol (ou sou) équivalait à douze deniers, vingt sols équivalaient à une livre.

sols un lavement : Je suis votre serviteur[1], je vous l'ai déjà dit. Vous ne me les avez mis dans les autres parties qu'à vingt sols, et vingt sols en langage d'apothicaire, c'est-à-dire dix sols ; les voilà, dix sols. « Plus, dudit jour, un bon clystère détersif[2], composé avec catholicon double, rhubarbe, miel rosat[3], et autres, suivant l'ordonnance, pour balayer, laver, et nettoyer le bas-ventre de Monsieur, trente sols. » Avec votre permission, dix sols. « Plus, dudit jour, le soir, un julep hépatique, soporatif[4], et somnifère, composé pour faire dormir Monsieur, trente-cinq sols. » Je ne me plains pas de celui-là, car il me fit bien dormir. Dix, quinze, seize et dix-sept sols, six deniers. « Plus, du vingt-cinquième, une bonne médecine purgative et corroborative[5], composée de casse récente avec séné levantin[6], et autres, suivant l'ordonnance de M. Purgon, pour expulser et évacuer la bile de Monsieur, quatre livres. » Ah ! M. Fleurant, c'est se moquer ; il faut vivre avec les malades. M. Purgon ne vous a pas ordonné de mettre quatre francs. Mettez, mettez trois livres, s'il vous plaît. Vingt et trente sols. « Plus, dudit jour, une potion anodine et astringente[7], pour faire reposer Monsieur, trente sols. » Bon, dix et quinze sols. « Plus, du vingt-sixième, un clystère carminatif[8], pour chasser les vents

---

1. **Je suis votre serviteur** : formule de politesse ironique signifiant « non merci ».
2. **Détersif** : nettoyant et purifiant.
3. **Catholicon** : pâte constituée d'un mélange de plantes et destinée à soigner différentes maladies ; **rhubarbe** : plante médicinale ; **miel rosat** : miel dilué dans une infusion de roses.
4. **Julep hépatique** : potion pour le foie ; **soporatif** : qui calme.
5. **Une bonne médecine purgative et corroborative** : un médicament purifiant et fortifiant.
6. **Casse** : fruit des régions chaudes aux propriétés laxatives ; **séné levantin** : laxatif fabriqué à partir d'un arbuste d'Orient.
7. **Anodine et astringente** : calmante et qui contracte les tissus du corps humain.
8. **Carminatif** : qui permet d'évacuer les gaz intestinaux.

de Monsieur, trente sols.» Dix sols, M. Fleurant. «Plus, le
35 clystère de Monsieur réitéré le soir, comme dessus, trente
sols.» M. Fleurant, dix sols. «Plus, du vingt-septième, une
bonne médecine composée pour hâter d'aller[1], et chasser
dehors les mauvaises humeurs[2] de Monsieur, trois livres.»
Bon, vingt et trente sols: je suis bien aise[3] que vous soyez
40 raisonnable. «Plus, du vingt-huitième, une prise de petit-
lait clarifié, et édulcoré[4], pour adoucir, lénifier, tempérer[5]
et rafraîchir le sang de Monsieur, vingt sols.» Bon, dix sols.
«Plus, une potion cordiale[6] et préservative, composée avec
douze grains de bézoard[7], sirops de limon et grenade, et
45 autres, suivant l'ordonnance, cinq livres.» Ah! M. Fleurant,
tout doux, s'il vous plaît; si vous en usez comme cela[8], on ne
voudra plus être malade: contentez-vous de quatre francs.
Vingt et quarante sols. Trois et deux font cinq, et cinq font
dix, et dix font vingt. Soixante et trois livres, quatre sols,
50 six deniers. Si bien donc que ce mois j'ai pris une, deux,
trois, quatre, cinq, six, sept et huit médecines[9]; et un, deux,
trois, quatre, cinq, six, sept, huit, neuf, dix, onze et douze
lavements; et l'autre mois il y avait douze médecines, et
vingt lavements. Je ne m'étonne pas si je ne me porte pas
55 si bien ce mois-ci que l'autre. Je le dirai à M. Purgon, afin
qu'il mette ordre à cela. Allons, qu'on m'ôte tout ceci. Il

---

1. **Pour hâter d'aller**: pour aider à aller à la selle.
2. **Humeurs**: au XVIIᵉ siècle, les médecins pensaient que le corps humain était constitué de quatre liquides, appelés «humeurs» (bile jaune, bile noire, flegme et sang). On croyait que la santé reposait sur un équilibre entre ces quatre liquides.
3. **Bien aise**: très satisfait.
4. **Édulcoré**: adouci avec du sucre.
5. **Lénifier, tempérer**: adoucir, calmer.
6. **Cordiale**: réconfortante.
7. **Bézoard**: contrepoison d'origine animale.
8. **Si vous en usez comme cela**: si vous agissez de cette manière.
9. **Médecines**: remèdes.

n'y a personne : j'ai beau dire, on me laisse toujours seul ;
il n'y a pas moyen de les arrêter ici. *(Il sonne une sonnette
pour faire venir ses gens[1].)* Ils n'entendent point, et ma son-
60 nette ne fait pas assez de bruit. Drelin, drelin, drelin : point
d'affaire. Drelin, drelin, drelin : ils sont sourds. Toinette !
Drelin, drelin, drelin : tout comme si je ne sonnais point.
Chienne, coquine[2] ! Drelin, drelin, drelin : j'enrage. *(Il ne
sonne plus mais il crie.)* Drelin, drelin, drelin : carogne[3], à
65 tous les diables ! Est-il possible qu'on laisse comme cela un
pauvre malade tout seul ? Drelin, drelin, drelin : voilà qui
est pitoyable ! Drelin, drelin, drelin : ah, mon Dieu ! ils me
laisseront ici mourir. Drelin, drelin, drelin.

Scène 2

TOINETTE, ARGAN

TOINETTE, *en entrant dans la chambre.* – On y va.

ARGAN. – Ah, chienne ! ah, carogne… !

TOINETTE, *faisant semblant de s'être cogné la tête.* – Diantre[4] soit
fait de votre impatience ! vous pressez si fort les personnes,

---

1. **Ses gens** : ses domestiques, ses serviteurs.
2. **Coquine** : femme malhonnête, sans scrupule (injure).
3. **Carogne** : charogne (injure).
4. **Diantre** : diable (juron).

5   que je me suis donné un grand coup de la tête contre la carne[1] d'un volet.

ARGAN, *en colère*. – Ah ! traîtresse… !

TOINETTE, *pour l'interrompre et l'empêcher de crier, se plaint toujours en disant*. – Ha !

10 **ARGAN**. – Il y a…

TOINETTE. – Ha !

ARGAN. – Il y a une heure…

TOINETTE. – Ha !

ARGAN. – Tu m'as laissé…

15 **TOINETTE**. – Ha !

ARGAN. – Tais-toi donc, coquine, que je te querelle[2].

TOINETTE. – Çamon[3], ma foi ! ma foi ! j'en suis d'avis, après ce que je me suis fait.

ARGAN. – Tu m'as fait égosiller[4], carogne.

20 **TOINETTE**. – Et vous m'avez fait, vous, casser la tête : l'un vaut bien l'autre ; quitte à quitte[5], si vous voulez.

ARGAN. – Quoi ? coquine…

TOINETTE. – Si vous querellez, je pleurerai.

ARGAN. – Me laisser, traîtresse…

---

1. Carne : coin.
2. Que je te querelle : que je te gronde, te réprimande.
3. Çamon : vraiment oui, ça oui.
4. Égosiller : crier de toutes mes forces.
5. Quitte à quitte : nous sommes quittes.

25 **TOINETTE,** *toujours pour l'interrompre.* – Ha !

ARGAN. – Chienne, tu veux…

TOINETTE. – Ha !

ARGAN. – Quoi ? il faudra encore que je n'aie pas le plaisir de la quereller.

30 **TOINETTE.** – Querellez tout votre soûl[1], je le veux bien.

ARGAN. – Tu m'en empêches, chienne, en m'interrompant à tous coups.

TOINETTE. – Si vous avez le plaisir de quereller, il faut bien que, de mon côté, j'aie le plaisir de pleurer : chacun le sien, 35 ce n'est pas trop. Ha !

ARGAN. – Allons, il faut en passer par là. Ôte-moi ceci, coquine, ôte-moi ceci. *(Argan se lève de sa chaise.)* Mon lavement d'aujourd'hui a-t-il bien opéré[2] ?

TOINETTE. – Votre lavement ?

40 **ARGAN.** – Oui. Ai-je bien fait de la bile ?

TOINETTE. – Ma foi ! je ne me mêle point de ces affaires-là[3] : c'est à M. Fleurant à y mettre le nez, puisqu'il en a le profit.

ARGAN. – Qu'on ait soin de me tenir un bouillon prêt, pour l'autre que je dois tantôt[4] prendre.

45 **TOINETTE.** – Ce M. Fleurant-là et ce M. Purgon s'égayent bien sur votre corps[5] ; ils ont en vous une bonne vache à

---

1. **Tout votre soûl** : tant qu'il vous plaira.
2. **Opéré** : fait son effet.
3. **Ces affaires-là** : ces choses-là (jeu de mots : en langage familier, « affaires » signifie « excréments »).
4. **Tantôt** : tout à l'heure.
5. **S'égayent bien sur votre corps** : se divertissent aux dépens de votre corps.

lait[1] ; et je voudrais bien leur demander quel mal vous avez, pour vous faire tant de remèdes.

ARGAN. – Taisez-vous, ignorante, ce n'est pas à vous à contrô-
50 ler les ordonnances de la médecine. Qu'on me fasse venir ma fille Angélique, j'ai à lui dire quelque chose.

TOINETTE. – La voici qui vient d'elle-même : elle a deviné votre pensée.

Scène 3

ANGÉLIQUE, TOINETTE, ARGAN

ARGAN. – Approchez, Angélique ; vous venez à propos[2] : je voulais vous parler.

ANGÉLIQUE. – Me voilà prête à vous ouïr[3].

ARGAN, *courant au bassin*[4]. – Attendez. Donnez-moi mon
5 bâton. Je vais revenir tout à l'heure[5].

TOINETTE, *en le raillant.* – Allez vite, Monsieur, allez. M. Fleurant nous donne des affaires[6].

---

1. **Vache à lait** : source de bénéfices financiers.
2. **À propos** : au bon moment.
3. **Ouïr** : écouter.
4. **Bassin** : chaise percée tenant lieu de toilettes, qui se trouve hors de la scène.
5. **Tout à l'heure** : tout de suite, dans un instant.
6. **Affaires** : soucis (jeu de mots).

Scène 4

ANGÉLIQUE, TOINETTE

ANGÉLIQUE, *la regardant d'un œil languissant[1], lui dit confidemment[2].* – Toinette.

TOINETTE. – Quoi ?

ANGÉLIQUE. – Regarde-moi un peu.

5　**TOINETTE.** – Hé bien ! je vous regarde.

ANGÉLIQUE. – Toinette.

TOINETTE. – Hé bien, quoi, Toinette ?

ANGÉLIQUE. – Ne devines-tu point de quoi je veux parler ?

TOINETTE. – Je m'en doute assez, de notre jeune amant ;
10　car c'est sur lui, depuis six jours, que roulent tous nos
entretiens[3] ; et vous n'êtes point bien si vous n'en parlez
à toute heure.

ANGÉLIQUE. – Puisque tu connais cela, que[4] n'es-tu donc
la première à m'en entretenir, et que ne m'épargnes-tu la
15　peine de te jeter sur ce discours[5] ?

TOINETTE. – Vous ne m'en donnez pas le temps, et vous avez
des soins là-dessus qu'il est difficile de prévenir[6].

---

1. **Languissant** : amoureux.
2. **Confidemment** : sur le ton de la confidence.
3. **Que roulent tous nos entretiens** : que portent toutes nos conversations.
4. **Que** : pourquoi.
5. **Discours** : sujet, thème.
6. **Prévenir** : devancer.

ANGÉLIQUE. – Je t'avoue que je ne saurais me lasser de te parler de lui, et que mon cœur profite avec chaleur[1] de tous 20 les moments de s'ouvrir à toi. Mais dis-moi, condamnes-tu, Toinette, les sentiments que j'ai pour lui?

TOINETTE. – Je n'ai garde[2].

ANGÉLIQUE. – Ai-je tort de m'abandonner à ces douces impressions?

25 TOINETTE. – Je ne dis pas cela.

ANGÉLIQUE. – Et voudrais-tu que je fusse insensible aux tendres protestations de cette passion ardente[3] qu'il témoigne pour moi?

TOINETTE. – À Dieu ne plaise!

30 ANGÉLIQUE. – Dis-moi un peu, ne trouves-tu pas, comme moi, quelque chose du Ciel, quelque effet du destin, dans l'aventure inopinée[4] de notre connaissance?

TOINETTE. – Oui.

ANGÉLIQUE. – Ne trouves-tu pas que cette action d'embrasser 35 ma défense[5] sans me connaître est tout à fait d'un honnête homme[6]?

TOINETTE. – Oui.

ANGÉLIQUE. – Que l'on ne peut pas en user plus généreusement[7]?

---

1. Chaleur: enthousiasme, joie.
2. Je n'ai garde: je ne me risquerais pas à cela.
3. Protestations de cette passion ardente: déclarations d'amour passionné.
4. Inopinée: inattendue, due au hasard.
5. Embrasser ma défense: prendre ma défense.
6. Honnête homme: au XVIIe siècle, homme courtois, cultivé et d'agréable compagnie.
7. En user plus généreusement: se comporter plus noblement.

40 **TOINETTE.** – D'accord.

ANGÉLIQUE. – Et qu'il fît tout cela de la meilleure grâce[1] du monde?

TOINETTE. – Oh! oui.

ANGÉLIQUE. – Ne trouves-tu pas, Toinette, qu'il est bien fait 45 de sa personne?

TOINETTE. – Assurément.

ANGÉLIQUE. – Qu'il a l'air le meilleur du monde?

TOINETTE. – Sans doute.

ANGÉLIQUE. – Que ses discours, comme ses actions, ont 50 quelque chose de noble?

TOINETTE. – Cela est sûr.

ANGÉLIQUE. – Qu'on ne peut rien entendre de plus passionné que tout ce qu'il me dit?

TOINETTE. – Il est vrai.

55 **ANGÉLIQUE.** – Et qu'il n'est rien de plus fâcheux que la contrainte[2] où l'on me tient, qui bouche tout commerce aux doux empressements[3] de cette mutuelle ardeur[4] que le Ciel nous inspire?

TOINETTE. – Vous avez raison.

---

1. **De la meilleure grâce**: avec la meilleure volonté.
2. **Fâcheux**: désagréable, ennuyeux; **contrainte**: surveillance.
3. **Qui bouche tout commerce**: qui interdit toute relation; **doux empressements**: manifestations enthousiastes.
4. **Ardeur**: amour passionné.

60 ANGÉLIQUE. – Mais, ma pauvre Toinette, crois-tu qu'il m'aime autant qu'il me le dit?

TOINETTE. – Eh, eh! ces choses-là, parfois, sont un peu sujettes à caution[1]. Les grimaces[2] d'amour ressemblent fort à la vérité; et j'ai vu de grands comédiens là-dessus.

65 ANGÉLIQUE. – Ah! Toinette, que dis-tu là? Hélas! de la façon qu'il parle[3], serait-il bien possible qu'il ne me dît[4] pas vrai?

TOINETTE. – En tout cas, vous en serez bientôt éclaircie; et la résolution[5] où il vous écrivit hier qu'il était de vous faire demander en mariage est une prompte voie à[6] vous

70 faire connaître s'il vous dit vrai, ou non: c'en sera là la bonne preuve.

ANGÉLIQUE. – Ah! Toinette, si celui-là me trompe[7], je ne croirai de ma vie aucun homme.

TOINETTE. – Voilà votre père qui revient.

---

1. **Sujettes à caution**: suspectes.
2. **Grimaces**: apparences trompeuses.
3. **Qu'il parle**: dont il parle (tournure correcte au XVIIe siècle).
4. **Dît**: dise.
5. **Résolution**: décision.
6. **Prompte voie à**: façon rapide de.
7. **Trompe**: ment.

Scène 5

ARGAN, ANGÉLIQUE, TOINETTE

ARGAN *se met dans sa chaise.* – Ô çà, ma fille, je vais vous dire une nouvelle, où[1] peut-être ne vous attendez-vous pas. On vous demande en mariage. Qu'est-ce que cela ? vous riez. Cela est plaisant[2], oui, ce mot de mariage ; il n'y a rien de
5 plus drôle pour les jeunes filles : ah ! nature, nature ! À ce que je puis voir, ma fille, je n'ai que faire[3] de vous demander si vous voulez bien vous marier.

ANGÉLIQUE. – Je dois faire, mon père, tout ce qu'il vous plaira de m'ordonner.

10 **ARGAN.** – Je suis bien d'aise d'avoir une fille si obéissante. La chose est donc conclue, et je vous ai promise[4].

ANGÉLIQUE. – C'est à moi, mon père, de suivre aveuglément toutes vos volontés.

ARGAN. – Ma femme, votre belle-mère, avait envie que je
15 vous fisse religieuse, et votre petite sœur Louison aussi, et de tout temps elle a été aheurtée[5] à cela.

TOINETTE, *tout bas.* – La bonne bête[6] a ses raisons.

ARGAN. – Elle ne voulait point consentir à ce mariage, mais je l'ai emporté, et ma parole est donnée.

---

1. Où : à laquelle.
2. Plaisant : amusant.
3. Que faire : pas besoin.
4. Promise : promise en mariage, fiancée.
5. Aheurtée : décidée, résolue.
6. Bonne bête : personne peu intelligente mais qui a de bonnes intentions (ironique).

20 ANGÉLIQUE. – Ah ! mon père, que je vous suis obligée[1] de toutes vos bontés.

TOINETTE. – En vérité, je vous sais bon gré de cela, et voilà l'action la plus sage que vous ayez faite de votre vie.

ARGAN. – Je n'ai point encore vu la personne ; mais on m'a
25 dit que j'en serais content, et toi aussi.

ANGÉLIQUE. – Assurément, mon père.

ARGAN. – Comment l'as-tu vu ?

ANGÉLIQUE. – Puisque votre consentement m'autorise à vous pouvoir ouvrir mon cœur, je ne feindrai point de[2] vous dire
30 que le hasard nous a fait connaître il y a six jours, et que la demande qu'on vous a faite est un effet de l'inclination[3] que, dès cette première vue, nous avons prise l'un pour l'autre.

ARGAN. – Ils ne m'ont pas dit cela ; mais j'en suis bien aise, et c'est tant mieux que les choses soient de la sorte. Ils disent
35 que c'est un grand jeune garçon bien fait.

ANGÉLIQUE. – Oui, mon père.

ARGAN. – De belle taille.

ANGÉLIQUE. – Sans doute.

ARGAN. – Agréable de sa personne.

40 ANGÉLIQUE. – Assurément.

ARGAN. – De bonne physionomie[4].

---

1. **Obligée** : reconnaissante.
2. **Je ne feindrai point de** : je n'hésiterai pas à.
3. **Inclination** : attirance amoureuse.
4. **Physionomie** : apparence.

ANGÉLIQUE. – Très bonne.

ARGAN. – Sage, et bien né[1].

ANGÉLIQUE. – Tout à fait.

45 **ARGAN.** – Fort honnête[2].

ANGÉLIQUE. – Le plus honnête du monde.

ARGAN. – Qui parle bien latin, et grec.

ANGÉLIQUE. – C'est ce que je ne sais pas.

ARGAN. – Et qui sera reçu médecin dans trois jours.

50 **ANGÉLIQUE.** – Lui, mon père?

ARGAN. – Oui. Est-ce qu'il ne te l'a pas dit?

ANGÉLIQUE. – Non vraiment. Qui vous l'a dit à vous?

ARGAN. – M. Purgon.

ANGÉLIQUE. – Est-ce que M. Purgon le connaît?

55 **ARGAN.** – La belle demande! il faut bien qu'il le connaisse, puisque c'est son neveu.

ANGÉLIQUE. – Cléante, neveu de M. Purgon?

ARGAN. – Quel Cléante? Nous parlons de celui pour qui l'on t'a demandée en mariage.

60 **ANGÉLIQUE.** – Hé! oui.

ARGAN. – Hé bien, c'est le neveu de M. Purgon, qui est le fils de son beau-frère le médecin, M. Diafoirus; et ce fils

---

1. Bien né: d'une famille respectée.
2. Fort honnête: courtois, d'agréable compagnie.

s'appelle Thomas Diafoirus, et non pas Cléante ; et nous avons conclu ce mariage-là ce matin, M. Purgon, M. Fleurant
65 et moi, et, demain, ce gendre prétendu[1] doit m'être amené par son père. Qu'est-ce ? vous voilà tout ébaubie[2] ?

ANGÉLIQUE. – C'est, mon père, que je connais[3] que vous avez parlé d'une personne, et que j'ai entendu[4] une autre.

TOINETTE. – Quoi ? Monsieur, vous auriez fait ce dessein
70 burlesque[5] ? Et avec tout le bien[6] que vous avez, vous voudriez marier votre fille avec un médecin ?

ARGAN. – Oui. De quoi te mêles-tu, coquine, impudente[7] que tu es ?

TOINETTE. – Mon Dieu ! tout doux : vous allez d'abord
75 aux invectives[8]. Est-ce que nous ne pouvons pas raisonner ensemble sans nous emporter ? Là, parlons de sang-froid. Quelle est votre raison, s'il vous plaît, pour un tel mariage ?

ARGAN. – Ma raison est que, me voyant infirme[9] et malade comme je suis, je veux me faire un gendre et des alliés
80 médecins, afin de m'appuyer de bons secours contre ma maladie, d'avoir dans ma famille les sources des remèdes qui me sont nécessaires, et d'être à même[10] des consultations et des ordonnances.

---

1. Gendre prétendu : futur époux de ma fille.
2. Ébaubie : stupéfaite.
3. Je connais : je me rends compte.
4. Entendu : ici, compris.
5. Dessein burlesque : projet ridicule.
6. Tout le bien : toute la fortune.
7. Impudente : insolente.
8. Vous allez d'abord aux invectives : vous commencez par des insultes.
9. Infirme : handicapé.
10. Être à même : avoir à ma disposition.

TOINETTE. – Hé bien ! voilà dire une raison, et il y a plaisir à
85   se répondre doucement les uns aux autres. Mais, Monsieur,
mettez la main à la conscience : est-ce que vous êtes malade ?

ARGAN. – Comment, coquine, si je suis malade ? si je suis
malade, impudente ?

TOINETTE. – Hé bien ! oui, Monsieur, vous êtes malade,
90   n'ayons point de querelle là-dessus ; oui, vous êtes fort
malade, j'en demeure d'accord, et plus malade que vous
ne pensez : voilà qui est fait. Mais votre fille doit épouser
un mari pour elle ; et, n'étant point malade, il n'est pas
nécessaire de lui donner un médecin.

95   **ARGAN.** – C'est pour moi que je lui donne ce médecin ; et
une fille de bon naturel doit être ravie d'épouser ce qui
est utile à la santé de son père.

TOINETTE. – Ma foi ! Monsieur, voulez-vous qu'en amie je
vous donne un conseil ?

100   **ARGAN.** – Quel est-il ce conseil ?

TOINETTE. – De ne point songer à ce mariage-là.

ARGAN. – Hé la raison ?

TOINETTE. – La raison ? C'est que votre fille n'y consentira
point.

105   **ARGAN.** – Elle n'y consentira point ?

TOINETTE. – Non.

ARGAN. – Ma fille ?

TOINETTE. – Votre fille. Elle vous dira qu'elle n'a que faire de M. Diafoirus, ni de son fils Thomas Diafoirus, ni de tous
110 les Diafoirus du monde.

ARGAN. – J'en ai affaire, moi, outre que le parti[1] est plus avantageux qu'on ne pense. M. Diafoirus n'a que ce fils-là pour tout héritier ; et, de plus, M. Purgon, qui n'a ni femme, ni enfants, lui donne tout son bien, en faveur de
115 ce mariage ; et M. Purgon est un homme qui a huit mille bonnes livres de rente[2].

TOINETTE. – Il faut qu'il ait tué bien des gens, pour s'être fait si riche.

ARGAN. – Huit mille livres de rente sont quelque chose,
120 sans compter le bien du père.

TOINETTE. – Monsieur, tout cela est bel et bon ; mais j'en reviens toujours là : je vous conseille, entre nous, de lui choisir un autre mari, et elle n'est point faite pour être Mme Diafoirus.

125 **ARGAN.** – Et je veux, moi, que cela soit.

TOINETTE. – Eh fi ! ne me dites pas cela.

ARGAN. – Comment, que je ne dise pas cela ?

TOINETTE. – Hé non !

ARGAN. – Et pourquoi ne le dirai-je pas ?

130 **TOINETTE.** – On dira que vous ne songez pas à ce que vous dites.

---

1. Parti : fiancé potentiel.
2. Rente : revenu.

ARGAN. – On dira ce qu'on voudra ; mais je vous dis que je veux qu'elle exécute la parole que j'ai donnée.

TOINETTE. – Non : je suis sûre qu'elle ne le fera pas.

135 ARGAN. – Je l'y forcerai bien.

TOINETTE. – Elle ne le fera pas, vous dis-je.

ARGAN. – Elle le fera, ou je la mettrai dans un couvent.

TOINETTE. – Vous ?

ARGAN. – Moi.

140 TOINETTE. – Bon.

ARGAN. – Comment, « bon » ?

TOINETTE. – Vous ne la mettrez point dans un couvent.

ARGAN. – Je ne la mettrai point dans un couvent ?

TOINETTE. – Non.

145 ARGAN. – Non ?

TOINETTE. – Non.

ARGAN. – Ouais ! voici qui est plaisant : je ne mettrai pas ma fille dans un couvent, si je veux ?

TOINETTE. – Non, vous dis-je.

150 ARGAN. – Qui m'en empêchera ?

TOINETTE. – Vous-même.

ARGAN. – Moi ?

TOINETTE. – Oui, vous n'aurez pas ce cœur-là[1].

ARGAN. – Je l'aurai.

155 **TOINETTE.** – Vous vous moquez.

ARGAN. – Je ne me moque point.

TOINETTE. – La tendresse paternelle vous prendra.

ARGAN. – Elle ne me prendra point.

TOINETTE. – Une petite larme ou deux, des bras jetés au
160 cou, un «mon petit papa mignon», prononcé tendrement,
sera assez pour vous toucher.

ARGAN. – Tout cela ne fera rien.

TOINETTE. – Oui, oui.

ARGAN. – Je vous dis que je n'en démordrai point.

165 **TOINETTE.** – Bagatelles[2].

ARGAN. – Il ne faut point dire «bagatelles».

TOINETTE. – Mon Dieu! je vous connais, vous êtes bon
naturellement.

ARGAN, *avec emportement.* – Je ne suis point bon, et je suis
170 méchant quand je veux.

TOINETTE. – Doucement, Monsieur: vous ne songez pas
que vous êtes malade.

ARGAN. – Je lui commande absolument de se préparer à
prendre le mari que je dis.

---

1. **Ce cœur-là**: ici, cette cruauté-là.
2. **Bagatelles**: bêtises, balivernes.

175 **TOINETTE.** – Et moi, je lui défends absolument d'en faire rien.

ARGAN. – Où est-ce donc que nous sommes? et quelle audace est-ce là à une coquine de servante de parler de la sorte devant son maître?

TOINETTE. – Quand un maître ne songe pas à ce qu'il fait, 180 une servante bien sensée[1] est en droit de le redresser[2].

ARGAN *court après Toinette.* – Ah! insolente, il faut que je t'assomme.

TOINETTE *se sauve de lui.* – Il est de mon devoir de m'opposer aux choses qui vous peuvent déshonorer.

185 **ARGAN,** *en colère, court après elle autour de sa chaise, son bâton à la main.* – Viens, viens, que je t'apprenne à parler.

TOINETTE, *courant, et se sauvant du côté de la chaise où n'est pas Argan.* – Je m'intéresse, comme je dois, à ne vous point laisser faire de folie.

190 **ARGAN.** – Chienne!

TOINETTE. – Non, je ne consentirai jamais à ce mariage.

ARGAN. – Pendarde[3]!

TOINETTE. – Je ne veux point qu'elle épouse votre Thomas Diafoirus.

195 **ARGAN.** – Carogne!

TOINETTE. – Et elle m'obéira plutôt qu'à vous.

---

1. **Sensée**: raisonnable, qui a du bon sens.
2. **Redresser**: remettre dans le droit chemin.
3. **Pendarde**: qui mérite d'être pendue (injure).

ARGAN. – Angélique, tu ne veux pas m'arrêter cette coquine-là?

ANGÉLIQUE. – Eh! mon père, ne vous faites point malade.

ARGAN. – Si tu ne me l'arrêtes, je te donnerai ma malédiction.

200 TOINETTE. – Et moi, je la déshériterai, si elle vous obéit.

ARGAN *se jette dans sa chaise, étant las de courir après elle.* – Ah!
ah! je n'en puis plus. Voilà pour me faire mourir.

Scène 6
BÉLINE, ARGAN, ANGÉLIQUE, TOINETTE

ARGAN. – Ah! ma femme, approchez.

BÉLINE. – Qu'avez-vous, mon pauvre mari?

ARGAN. – Venez-vous-en ici à mon secours.

BÉLINE. – Qu'est-ce que c'est donc qu'il y a, mon petit fils?

5 ARGAN. – Mamie[1].

BÉLINE. – Mon ami.

ARGAN. – On vient de me mettre en colère!

BÉLINE. – Hélas! pauvre petit mari. Comment donc, mon
ami?

---

1. **Mamie**: mon amie (terme affectueux).

10 **ARGAN**. – Votre coquine de Toinette est devenue plus insolente que jamais.

BÉLINE. – Ne vous passionnez donc point.

ARGAN. – Elle m'a fait enrager, mamie.

BÉLINE. – Doucement, mon fils.

15 **ARGAN**. – Elle a contrecarré[1], une heure durant, les choses que je veux faire.

BÉLINE. – Là, là, tout doux.

ARGAN. – Et a eu l'effronterie de me dire que je ne suis point malade.

20 **BÉLINE**. – C'est une impertinente.

ARGAN. – Vous savez, mon cœur, ce qui en est.

BÉLINE. – Oui, mon cœur, elle a tort.

ARGAN. – Mamour, cette coquine-là me fera mourir.

BÉLINE. – Eh là, eh là!

25 **ARGAN**. – Elle est cause de toute la bile que je fais.

BÉLINE. – Ne vous fâchez point tant.

ARGAN. – Et il y a je ne sais combien que je vous dis de me la chasser.

BÉLINE. – Mon Dieu! mon fils, il n'y a point de serviteurs
30 et de servantes qui n'aient leurs défauts. On est contraint parfois de souffrir[2] leurs mauvaises qualités à cause des

---

1. Elle a contrecarré: elle s'est opposée à.
2. Souffrir: supporter.

bonnes. Celle-ci est adroite, soigneuse, diligente[1], et surtout fidèle, et vous savez qu'il faut maintenant de grandes
précautions pour les gens que l'on prend. Holà! Toinette.

35 **Toinette.** – Madame.

Béline. – Pourquoi donc est-ce que vous mettez mon mari
en colère?

Toinette, *d'un ton doucereux.* – Moi, Madame, hélas! Je
ne sais pas ce que vous me voulez dire, et je ne songe qu'à
40 complaire à Monsieur en toutes choses.

Argan. – Ah! la traîtresse!

Toinette. – Il nous a dit qu'il voulait donner sa fille en
mariage au fils de M. Diafoirus; je lui ai répondu que je
trouvais le parti avantageux pour elle; mais que je croyais
45 qu'il ferait mieux de la mettre dans un couvent.

Béline. – Il n'y a pas grand mal à cela, et je trouve qu'elle
a raison.

Argan. – Ah! mamour, vous la croyez. C'est une scélérate:
elle m'a dit cent insolences.

50 **Béline.** – Hé bien! je vous crois, mon ami. Là, remettez-vous.
Écoutez Toinette, si vous fâchez jamais[2] mon mari, je vous
mettrai dehors. Çà, donnez-moi son manteau fourré et des
oreillers, que je l'accommode[3] dans sa chaise. Vous voilà je
ne sais comment. Enfoncez bien votre bonnet jusque sur

---

1. Diligente: active, rapide.
2. Jamais: un jour.
3. Que je l'accommode: que je l'installe confortablement.

55 vos oreilles : il n'y a rien qui enrhume tant que de prendre l'air par les oreilles.

ARGAN. – Ah ! mamie, que je vous suis obligé de tous les soins que vous prenez de moi !

BÉLINE, *accommodant les oreillers qu'elle met autour*
60 *d'Argan.* – Levez-vous, que je mette ceci sous vous. Mettons celui-ci pour vous appuyer, et celui-là de l'autre côté. Mettons celui-ci derrière votre dos, et cet autre-là pour soutenir votre tête.

TOINETTE, *lui mettant rudement un oreiller sur la tête, et puis*
65 *fuyant.* – Et celui-ci pour vous garder du serein[1].

ARGAN *se lève en colère, et jette tous les oreillers à Toinette.* – Ah ! coquine, tu veux m'étouffer.

BÉLINE. – Eh là, eh là ! Qu'est-ce que c'est donc ?

ARGAN, *tout essoufflé, se jette dans sa chaise.* – Ah, ah, ah ! je
70 n'en puis plus.

BÉLINE. – Pourquoi vous emporter ainsi ? Elle a cru faire bien.

ARGAN. – Vous ne connaissez pas, mamour, la malice[2] de la pendarde. Ah ! elle m'a mis tout hors de moi ; et il faudra plus de huit médecines, et de douze lavements, pour
75 réparer tout ceci.

BÉLINE. – Là, là, mon petit ami, apaisez-vous un peu.

ARGAN. – Mamie, vous êtes toute ma consolation.

_____

1. **Serein** : air du soir, humide et froid.
2. **Malice** : méchanceté, ruse.

BÉLINE. – Pauvre petit fils.

ARGAN. – Pour tâcher de reconnaître l'amour que vous me
80 portez, je veux, mon cœur, comme je vous ai dit, faire mon
testament.

BÉLINE. – Ah! mon ami, ne parlons point de cela, je vous
prie: je ne saurais souffrir cette pensée; et le seul mot de
testament me fait tressaillir de douleur.

85 **ARGAN.** – Je vous avais dit de parler pour cela à votre notaire[1].

BÉLINE. – Le voilà là-dedans[2], que j'ai amené avec moi.

ARGAN. – Faites-le donc entrer, mamour.

BÉLINE. – Hélas! mon ami, quand on aime bien un mari,
on n'est guère en état de songer à tout cela.

Scène 7
LE NOTAIRE, BÉLINE, ARGAN

ARGAN. – Approchez, M. de Bonnefoy, approchez. Prenez
un siège, s'il vous plaît. Ma femme m'a dit, Monsieur, que
vous étiez fort honnête homme, et tout à fait de ses amis;
et je l'ai chargée de vous parler pour un testament que je
5 veux faire.

---

1. Notaire: personne chargée d'établir et d'enregistrer des documents officiels.
2. Là-dedans: dans la pièce voisine.

Béline. – Hélas ! je ne suis point capable de parler de ces choses-là.

Le notaire. – Elle m'a, Monsieur, expliqué vos intentions, et le dessein où vous êtes[1] pour elle ; et j'ai à vous dire là-dessus que vous ne sauriez rien donner à votre femme par votre testament.

Argan. – Mais pourquoi ?

Le notaire. – La Coutume[2] y résiste. Si vous étiez en pays de droit écrit, cela se pourrait faire ; mais, à Paris, et dans les pays coutumiers, au moins dans la plupart, c'est ce qui ne se peut, et la disposition[3] serait nulle. Tout l'avantage qu'homme et femme conjoints par mariage se peuvent faire l'un à l'autre, c'est un don mutuel entre vifs[4] ; encore faut-il qu'il n'y ait enfants, soit des deux conjoints, ou de l'un d'eux, lors du décès du premier mourant.

Argan. – Voilà une Coutume bien impertinente, qu'un mari ne puisse rien laisser à une femme dont il est aimé tendrement, et qui prend de lui tant de soin. J'aurais envie de consulter mon avocat, pour voir comment je pourrais faire.

Le notaire. – Ce n'est point à des avocats qu'il faut aller, car ils sont d'ordinaire sévères là-dessus, et s'imaginent que c'est un grand crime que de disposer en fraude de la loi. Ce sont gens de difficultés[5], et qui sont ignorants

---

1. Le dessein où vous êtes : le projet que vous avez.
2. La Coutume : ensemble de traditions et d'habitudes, non écrites, qui servait de lois. Au XVIIe siècle, Paris, le centre et le nord de la France sont encore régis par la Coutume.
3. Disposition : acte écrit enregistré chez le notaire.
4. Vifs : personnes vivantes.
5. Gens de difficultés : des gens qui créent des difficultés.

des détours de la conscience[1]. Il y a d'autres personnes à
30 consulter, qui sont bien plus accommodantes, qui ont des
expédients[2] pour passer doucement par-dessus la loi, et
rendre juste ce qui n'est pas permis ; qui savent aplanir les
difficultés d'une affaire, et trouver des moyens d'éluder[3]
la Coutume par quelque avantage indirect. Sans cela, où
35 en serions-nous tous les jours ? Il faut de la facilité dans les
choses ; autrement nous ne ferions rien, et je ne donnerais
pas un sou de notre métier.

ARGAN. – Ma femme m'avait bien dit, Monsieur, que vous
étiez fort habile, et fort honnête homme. Comment puis-
40 je faire, s'il vous plaît, pour lui donner mon bien, et en
frustrer[4] mes enfants ?

LE NOTAIRE. – Comment vous pouvez faire ? Vous pouvez
choisir doucement un ami intime de votre femme, auquel
vous donnerez en bonne forme par votre testament tout ce
45 que vous pouvez, et cet ami ensuite lui rendra tout. Vous
pouvez encore contracter un grand nombre d'obligations[5],
non suspectes, au profit de divers créanciers, qui prêteront
leur nom à votre femme, et entre les mains de laquelle ils
mettront leur déclaration que ce qu'ils en ont fait n'a été
50 que pour lui faire plaisir. Vous pouvez aussi, pendant que
vous êtes en vie, mettre entre ses mains de l'argent comptant,
ou des billets[6] que vous pourrez avoir, payables au porteur.

---

1. Ignorants des détours de la conscience : qui ne savent pas contourner la loi en gardant la conscience tranquille.
2. Expédients : moyens.
3. Éluder : éviter d'appliquer, contourner.
4. Frustrer : priver.
5. Obligations : documents prouvant qu'on doit de l'argent à quelqu'un.
6. Billets : documents par lesquels une personne s'engage à payer une certaine somme à celui qui les possède (le « porteur »).

Béline. – Mon Dieu ! il ne faut point vous tourmenter de tout cela. S'il vient faute de vous[1], mon fils, je ne veux plus
55   rester au monde.

Argan. – Mamie !

Béline. – Oui, mon ami, si je suis assez malheureuse pour vous perdre…

Argan. – Ma chère femme !

60   **Béline.** – La vie ne me sera plus de rien.

Argan. – Mamour !

Béline. – Et je suivrai vos pas[2], pour vous faire connaître la tendresse que j'ai pour vous.

Argan. – Mamie, vous me fendez le cœur. Consolez-vous,
65   je vous en prie.

Le notaire. – Ces larmes sont hors de saison[3], et les choses n'en sont point encore là.

Béline. – Ah ! Monsieur, vous ne savez pas ce que c'est qu'un mari qu'on aime tendrement.

70   **Argan.** – Tout le regret que j'aurai, si je meurs, mamie, c'est de n'avoir point un enfant de vous. M. Purgon m'avait dit qu'il m'en ferait faire un.

Le notaire. – Cela pourra venir encore.

---

1. **S'il vient faute de vous** : si vous venez à mourir.
2. **Je suivrai vos pas** : je vous suivrai dans la tombe, je mourrai à mon tour.
3. **Sont hors de saison** : ne sont pas d'actualité.

ARGAN. – Il faut faire mon testament, mamour, de la façon
que Monsieur dit; mais, par précaution, je veux vous mettre
entre les mains vingt mille francs en or, que j'ai dans le lam-
bris de mon alcôve[1], et deux billets payables au porteur, qui
me sont dus, l'un par M. Damon, et l'autre par M. Gérante.

BÉLINE. – Non, non, je ne veux point de tout cela. Ah!
combien dites-vous qu'il y a dans votre alcôve?

ARGAN. – Vingt mille francs, mamour.

BÉLINE. – Ne me parlez point de bien, je vous prie. Ah! de
combien sont les deux billets?

ARGAN. – Ils sont, mamie, l'un de quatre mille francs, et
l'autre de six.

BÉLINE. – Tous les biens du monde, mon ami, ne me sont
rien au prix de vous.

LE NOTAIRE. – Voulez-vous que nous procédions au testament?

ARGAN. – Oui, Monsieur; mais nous serons mieux dans
mon petit cabinet[2]. Mamour, conduisez-moi, je vous prie.

BÉLINE. – Allons, mon pauvre petit fils.

Scène 8

ANGÉLIQUE, TOINETTE

TOINETTE. – Les voilà avec un notaire, et j'ai ouï parler de testament. Votre belle-mère ne s'endort point, et c'est sans doute quelque conspiration[1] contre vos intérêts où elle pousse votre père.

5 **ANGÉLIQUE.** – Qu'il dispose de son bien à sa fantaisie, pourvu qu'il ne dispose point de mon cœur. Tu vois, Toinette, les desseins violents que l'on fait sur lui[2]. Ne m'abandonne point, je te prie, dans l'extrémité[3] où je suis.

TOINETTE. – Moi, vous abandonner ? j'aimerais mieux mourir. 10 Votre belle-mère a beau me faire sa confidente, et me vouloir jeter dans ses intérêts, je n'ai jamais pu avoir d'inclination pour elle, et j'ai toujours été de votre parti. Laissez-moi faire : j'emploierai toute chose pour vous servir ; mais pour vous servir avec plus d'effet, je veux changer de batterie[4], 15 couvrir le zèle que j'ai pour vous[5], et feindre d'entrer dans les sentiments de votre père et de votre belle-mère.

ANGÉLIQUE. – Tâche, je t'en conjure, de faire donner avis à[6] Cléante du mariage qu'on a conclu.

---

1. **Conspiration** : complot.
2. **Sur lui** : contre mon cœur.
3. **Extrémité** : situation malheureuse.
4. **De batterie** : de méthode.
5. **Couvrir le zèle que j'ai pour vous** : dissimuler l'affection que je vous porte.
6. **Je t'en conjure** : je t'en supplie ; **faire donner avis à** : faire prévenir.

TOINETTE. – Je n'ai personne à employer à cet office, que
20 le vieux usurier[1] Polichinelle, mon amant, et il m'en coûtera pour cela quelques paroles de douceur, que je veux
bien dépenser pour vous. Pour aujourd'hui il est trop tard ;
mais demain, du grand matin, je l'envoierai quérir[2], et il
sera ravi de…

25 **BÉLINE.** – Toinette.

TOINETTE. – Voilà qu'on m'appelle. Bonsoir. Reposez-vous
sur moi.

FIN DU PREMIER ACTE

Le théâtre change et représente une ville.

---

1. Usurier : personne qui prête de l'argent à des taux d'intérêts très élevés (c'est-à-dire
qu'on doit lui rembourser une somme beaucoup plus importante que celle qui a été
prêtée).
2. Envoierai quérir : enverrai chercher (« envoierai » est une forme correcte au
XVIIᵉ siècle).

Premier intermède[1]

Polichinelle, dans la nuit, vient pour donner une sérénade à sa maîtresse[2]. Il est interrompu d'abord par des violons, contre lesquels il se met en colère, et ensuite par le Guet[3], composé de musiciens et de danseurs.

POLICHINELLE

Ô amour, amour, amour, amour! Pauvre Polichinelle, quelle diable de fantaisie t'es-tu allé mettre dans la cervelle? À quoi t'amuses-tu, misérable insensé que tu es? Tu quittes le soin de ton négoce[4], et tu laisses aller tes affaires à l'abandon. Tu
5 *ne manges plus, tu ne bois presque plus, tu perds le repos de la nuit; et tout cela pour qui? Pour une dragonne[5], franche dragonne, une diablesse qui te rembarre[6], et se moque de tout ce que tu peux lui dire. Mais il n'y a point à raisonner là-dessus. Tu le veux, amour: il faut être fou comme beaucoup d'autres.*
10 *Cela n'est pas le mieux du monde à un homme de mon âge; mais qu'y faire? On n'est pas sage quand on veut, et les vieilles cervelles se démontent comme les jeunes.*

Je viens voir si je ne pourrai point adoucir ma tigresse par une sérénade. Il n'y a rien parfois qui soit si touchant qu'un
15 *amant qui vient chanter ses doléances[7] aux gonds et aux verrous de la porte de sa maîtresse. Voici de quoi accompagner ma voix.*

---

1. **Intermède**: petit spectacle.
2. **Une sérénade à sa maîtresse**: un concert sous les fenêtres de la femme qu'il aime.
3. **Guet**: troupe qui surveille les rues pendant la nuit.
4. **Négoce**: commerce.
5. **Dragonne**: femme d'un caractère difficile.
6. **Qui te rembarre**: qui te repousse brutalement.
7. **Doléances**: demandes, plaintes.

Ô nuit ! ô chère nuit ! porte mes plaintes amoureuses jusque dans le lit de mon inflexible[1].

(Il chante ces paroles :)

Notte e dì v' amo e v' adoro,	Nuit et jour, je vous aime et vous adore.
20 *Cerco un sì per mio ristoro ;*	Je cherche un oui pour mon réconfort ;
Ma se voi dite di no,	Mais si vous dites non,
Bell' ingrata, io morirò.	Belle ingrate, je mourrai.
Fra la speranza	Dans l'espérance,
S'afflige il cuore,	S'afflige[2] le cœur,
25 *In lontananza*	Dans l'absence,
Consuma l'hore ;	Il consume les heures ;
Si dolce inganno	La douce illusion
Che mi figura	Qui me fait apercevoir
Breve l'affanno	La fin prochaine de mon tourment,
30 *Ahi ! troppo dura !*	Hélas, dure trop longtemps.
Così per tropp' amar	Ainsi pour trop aimer,
languisco e muoro.	je languis[3] et je meurs.
Notte e dì v' amo e v' adoro,	Nuit et jour, je vous aime et vous adore.
Cerco un sì per mio ristoro ;	Je cherche un oui pour mon réconfort ;
Ma se voi dite di no,	Mais si vous dites non,
35 *Bell'ingrata, io morirò.*	Belle ingrate, je mourrai.

---

1. Mon inflexible : la femme que j'aime mais qui ne se laisse pas séduire.
2. S'afflige : s'attriste.
3. Je languis : je souffre.

Se non dormite,	Si vous ne dormez pas,
Almen pensate	Pensez au moins
Alle ferite	Aux blessures
Ch' al cuor mi fate;	Que vous faites à mon cœur.
40 *Deh! almen fingete,*	Ah! feignez au moins
Per mio conforto,	Pour mon réconfort,
Se m'uccidete,	Si vous me tuez,
D'haver il torto:	D'en avoir du remords:
Vostra pietà mi scemerà	Votre pitié diminuera
il martoro.	mon martyre.
45 *Notte e dì v'amo e v'adoro,*	Nuit et jour, je vous aime
	et vous adore.
Cerco un sì per mio ristoro;	Je cherche un oui pour
	mon réconfort;
Ma se voi dite di no,	Mais si vous dites non,
Bell' ingrata, io morirò.	Belle ingrate, je mourrai.

UNE VIEILLE *se présente à la fenêtre,*
et répond au seignor[1] *Polichinelle en se moquant de lui.*

Zerbinetti, ch' ogn' hor	Galants, qui à toute heure,
con finti sguardi,	avec des regards faux,
50 *Mentiti desiri,*	Des désirs mensongers,
Fallaci sospiri,	Des soupirs hypocrites,
Accenti bugiardi,	Des accents perfides,
Di fede vi pregiate,	Vous vantez de votre bonne
	foi,

---

1. Seignor: en ancien français, « maître » (terme respectueux, ici ironique).

Ah ! che non m' ingannate,	Ah ! vous ne me trompez pas
55 *Che già so per prova*	Car je sais déjà par expérience
Ch' in voi non si trova	qu'en vous on ne trouve
Constanza ne fede :	Ni constance ni bonne foi.
Oh ! quanto è pazza colei	Oh ! Combien est folle
che vi crede !	celle qui vous croit !
Quei sguardi languidi	Ces regards langoureux
60 *Non m' innamorano,*	Ne me troublent plus,
Quei sospir fervidi Più	Ces soupirs fervents ne
non m' infiammano,	m'enflamment plus ;
Vel giuro a fè.	Je vous le jure sur ma foi.
Zerbino misero,	Galant malheureux,
Del vostro piangere	De vos plaintes,
65 *Il mio cor libero*	Mon cœur libéré
Vuol sempre ridere,	Veut toujours se rire.
Credet' a me :	Croyez-moi par expérience
Che già so per prova	Car je sais déjà par expérience
Ch' in voi non si trova	Qu'en vous on ne trouve
70 *Constanza ne fede :*	Ni constance ni bonne foi.
Oh ! quanto è pazza colei	Oh ! Combien est folle
che vi crede !	celle qui vous croit !

(Violons.)

POLICHINELLE

Quelle impertinente harmonie [1] *vient interrompre ici ma voix ?*

(Violons.)

---

1. **Harmonie** : musique.

POLICHINELLE

Paix là, taisez-vous, violons. Laissez-moi me plaindre à mon aise des cruautés de mon inexorable[1].

(VIOLONS.)

POLICHINELLE

75 *Taisez-vous, vous dis-je. C'est moi qui veux chanter.*

(VIOLONS.)

POLICHINELLE

Paix donc!

(VIOLONS.)

POLICHINELLE

Ouais!

(VIOLONS.)

POLICHINELLE

Ahi!

(VIOLONS.)

POLICHINELLE

Est-ce pour rire?

(VIOLONS.)

POLICHINELLE

80 *Ah! que de bruit!*

(VIOLONS.)

POLICHINELLE

Le diable vous emporte!

---

1. **Mon inexorable**: la femme sans pitié que j'aime, qui reste sourde à mes prières.

(Violons.)

Polichinelle

J'enrage.

(Violons.)

Polichinelle

Vous ne vous tairez pas ? Ah, Dieu soit loué !

(Violons.)

Polichinelle

Encore ?

(Violons.)

Polichinelle

85 *Peste de violons !*

(Violons.)

Polichinelle

La sotte musique que voilà !

(Violons.)

Polichinelle

La, la, la, la, la, la.

(Violons.)

Polichinelle

La, la, la, la, la, la.

(Violons.)

Polichinelle

La, la, la, la, la, la, la, la.

(Violons.)

POLICHINELLE

90 *La, la, la, la, la.*

(VIOLONS.)

POLICHINELLE

La, la, la, la, la, la.

(VIOLONS.)

POLICHINELLE

Par ma foi ! cela me divertit. Poursuivez, Messieurs les Violons,
vous me ferez plaisir. Allons donc, continuez. Je vous en prie.
Voilà le moyen de les faire taire. La musique est accoutumée à
95 *ne point faire ce qu'on veut. Ho sus, à nous ! Avant que de*
chanter, il faut que je prélude[1] un peu, et joue quelque pièce,
afin de mieux prendre mon ton. Plan, plan, plan. Plin, plin,
plin. *Voilà un temps fâcheux pour mettre un luth d'accord[2].*
Plin, plin, plin. Plin tan plan. Plin, plin. *Les cordes ne tiennent*
100 *point par ce temps-là.* Plin, plan. *J'entends du bruit, mettons*
mon luth contre la porte.

ARCHERS

Qui va là, qui va là ?

POLICHINELLE

Qui diable est cela ? Est-ce que c'est la mode de parler en musique ?

ARCHERS

Qui va là, qui va là, qui va là ?

POLICHINELLE

105 *Moi, moi, moi.*

---

1. Que je prélude : que je m'échauffe.
2. Mettre un luth d'accord : accorder un luth (instrument à cordes).

ARCHERS

Qui va là, qui va là ? vous dis-je.

POLICHINELLE

Moi, moi, vous dis-je.

ARCHERS

Et qui toi ? et qui toi ?

POLICHINELLE

Moi, moi, moi, moi, moi, moi.

ARCHERS

110 *Dis ton nom, dis ton nom, sans davantage attendre.*

POLICHINELLE

Mon nom est : « Va te faire pendre. »

ARCHERS

Ici, camarade, ici.
Saisissons l'insolent qui nous répond ainsi.

ENTRÉE DE BALLET

Tout le Guet vient, qui cherche Polichinelle dans la nuit.

(VIOLONS ET DANSEURS.)

POLICHINELLE

Qui va là ?

(VIOLONS ET DANSEURS.)

POLICHINELLE

115 *Qui sont les coquins que j'entends ?*

(VIOLONS ET DANSEURS.)

POLICHINELLE

Euh ?

(VIOLONS ET DANSEURS.)

POLICHINELLE

Holà, mes laquais[1], mes gens !

(VIOLONS ET DANSEURS.)

POLICHINELLE

Par la mort !

(VIOLONS ET DANSEURS.)

POLICHINELLE

Par la sang[2] !

(VIOLONS ET DANSEURS.)

POLICHINELLE

120 *J'en jetterai par terre.*

(VIOLONS ET DANSEURS.)

POLICHINELLE

Champagne, Poitevin, Picard, Basque, Breton[3] !

(VIOLONS ET DANSEURS.)

POLICHINELLE

Donnez-moi mon mousqueton.

(VIOLONS ET DANSEURS.)

POLICHINELLE *tire un coup de pistolet.*

Poue.

---

1. Laquais : valets.
2. Par la mort, par la sang : jurons.
3. Champagne, Poitevin, Picard, Basque, Breton : noms habituels de valets, tirés de leurs provinces d'origine.

Ils tombent tous et s'enfuient.

POLICHINELLE

Ah, ah, ah, ah, comme je leur ai donné l'épouvante ! Voilà de
125 *sottes gens d'avoir peur de moi, qui ai peur des autres. Ma foi !*
il n'est que de[1] jouer d'adresse en ce monde. Si je n'avais tranché
du grand seigneur[2], et n'avais fait le brave, ils n'auraient pas
manqué de me happer[3]. Ah, ah, ah.

ARCHERS

Nous le tenons. À nous, camarades, à nous :
130 *Dépêchez, de la lumière.*

BALLET

Tout le Guet vient avec des lanternes.

ARCHERS

Ah, traître ! ah, fripon ! c'est donc vous ?
Faquin, maraud[4], pendard, impudent, téméraire,
Insolent, effronté, coquin, filou, voleur,
Vous osez nous faire peur ?

POLICHINELLE

135 *Messieurs, c'est que j'étais ivre.*

---

1. Il n'est que de : il suffit de.
2. Tranché du grand seigneur : pris l'air et le ton d'un grand seigneur.
3. Me happer : m'arrêter.
4. Faquin, maraud : vaurien (injures).

ARCHERS

Non, non, non, point de raison ;
Il faut vous apprendre à vivre.
En prison, vite, en prison.

POLICHINELLE

Messieurs, je ne suis point voleur.

ARCHERS

140 *En prison.*

POLICHINELLE

Je suis un bourgeois [1] *de la ville.*

ARCHERS

En prison.

POLICHINELLE

Qu'ai-je fait ?

ARCHERS

En prison, vite, en prison.

POLICHINELLE

145 *Messieurs, laissez-moi aller.*

ARCHERS

Non.

POLICHINELLE

Je vous prie.

ARCHERS

Non.

---

1. Bourgeois : personne qui n'est pas noble, mais qui est relativement aisée.

POLICHINELLE

Eh !

ARCHERS

150 *Non.*

POLICHINELLE

De grâce.

ARCHERS

Non, non.

POLICHINELLE

Messieurs.

ARCHERS

Non, non, non.

POLICHINELLE

155 *S'il vous plaît.*

ARCHERS

Non, non.

POLICHINELLE

Par charité.

ARCHERS

Non, non.

POLICHINELLE

Au nom du Ciel !

ARCHERS

160 *Non, non.*

POLICHINELLE

Miséricorde[1] !

ARCHERS

Non, non, non, point de raison ;
Il faut vous apprendre à vivre.
En prison, vite, en prison.

POLICHINELLE

165 *Eh ! n'est-il rien, Messieurs, qui soit capable d'attendrir vos âmes ?*

ARCHERS

Il est aisé de nous toucher,
Et nous sommes humains plus qu'on ne saurait croire ;
Donnez-nous doucement six pistoles[2] pour boire,
Nous allons vous lâcher.

POLICHINELLE

170 *Hélas ! Messieurs, je vous assure que je n'ai pas un sou sur moi.*

ARCHERS

Au défaut de six pistoles,
Choisissez donc sans façon
D'avoir trente croquignoles[3],
Ou douze coups de bâton.

POLICHINELLE

175 *Si c'est une nécessité, et qu'il faille en passer par là, je choisis*
les croquignoles.

---

1. **Miséricorde** : pitié.
2. **Pistoles** : pièces d'or espagnoles ou italiennes d'une valeur de dix livres.
3. **Croquignoles** : coups donnés avec la main sur la tête ou au visage.

ARCHERS

Allons, préparez-vous,
Et comptez bien les coups.

BALLET

Les Archers danseurs lui donnent des croquignoles en cadence.

POLICHINELLE

Un et deux, trois et quatre, cinq et six, sept et huit, neuf et dix,
180 *onze et douze, et treize, et quatorze, et quinze.*

ARCHERS

Ah, ah, vous en voulez passer :
Allons, c'est à recommencer.

POLICHINELLE

Ah ! Messieurs, ma pauvre tête n'en peut plus, et vous venez de
me la rendre comme une pomme cuite. J'aime mieux encore les
185 *coups de bâton que de recommencer.*

ARCHERS

Soit ! puisque le bâton est pour vous plus charmant,
Vous aurez contentement.

BALLET

Les Archers danseurs lui donnent des coups de bâton en cadence.

POLICHINELLE

Un, deux, trois, quatre, cinq, six, ah, ah, ah, je n'y saurais plus
résister. Tenez, Messieurs, voilà six pistoles que je vous donne.

ARCHERS

190 *Ah, l'honnête homme ! Ah, l'âme noble et belle !*
Adieu, seigneur, adieu, seigneur Polichinelle.

POLICHINELLE

Messieurs, je vous donne le bonsoir.

ARCHERS

Adieu, seigneur, adieu, seigneur Polichinelle.

POLICHINELLE

Votre serviteur.

ARCHERS

195 *Adieu, seigneur, adieu, seigneur Polichinelle.*

POLICHINELLE

Très humble valet.

ARCHERS

Adieu, seigneur, adieu, seigneur Polichinelle.

POLICHINELLE

Jusqu'au revoir.

BALLET

Ils dansent tous, en réjouissance de l'argent qu'ils ont reçu.
Le théâtre change et représente la même chambre.

Un quiz pour commencer

Cochez les bonnes réponses.

1 *Dans quelle ville la pièce se déroule-t-elle ?*

- ❏ Venise.
- ❏ Paris.
- ❏ Bruges.

2 *À quoi Argan est-il occupé au début de la pièce ?*

- ❏ Il prépare son testament.
- ❏ Il vérifie des factures de médicaments.
- ❏ Il prévoit des achats de meubles.

3 *Qui sont M. Fleurant et M. Purgon ?*

- ❏ Les comptables d'Argan.
- ❏ Des amis d'Argan.
- ❏ L'apothicaire et le médecin d'Argan.

4 *De qui Angélique et Toinette parlent-elles à la scène 4 ?*

- ☐ De Cléante, l'amoureux d'Angélique.
- ☐ D'Argan, le père d'Angélique.
- ☐ De Louison, la sœur d'Angélique.

5 *Avec qui Argan veut-il marier Angélique ?*

- ☐ Avec Cléante.
- ☐ Avec M. Purgon.
- ☐ Avec Thomas Diafoirus.

6 *Pourquoi Argan et Toinette se disputent-ils à la scène 5 ?*

- ☐ Parce que Toinette tarde à apporter les médicaments d'Argan.
- ☐ Parce que Toinette s'oppose au mariage projeté par Argan.
- ☐ Parce que Toinette refuse d'installer les coussins pour Argan.

7 *Qui est Béline ?*

- ☐ La seconde épouse d'Argan.
- ☐ La sœur d'Argan.
- ☐ La mère d'Argan.

8 *Pourquoi Argan fait-il venir le notaire ?*

- ☐ Argan veut répartir ses biens équitablement entre ses enfants et son épouse.
- ☐ Argan souhaite rédiger un testament au profit de Béline.
- ☐ Argan prévoit de léguer sa fortune à son médecin.

Des questions pour aller plus loin

→ *Découvrir l'exposition de la pièce*

Argan, un malade imaginaire et ridicule

1 Dans la scène 1, à qui Argan s'adresse-t-il ? Dites comment on appelle ce type de réplique. Quelle image ce passage donne-t-il du personnage ?

2 Relevez les expressions indiquant les effets recherchés de chacun des médicaments (scène 1). À l'issue de la scène, le spectateur sait-il de quoi souffre Argan ?

3 À la fin de la scène 1 (l. 45-55), quelles phrases peu logiques d'Argan révèlent qu'il se fait une idée étonnante de la maladie ?

4 Dans la scène 5 (l. 74-94), quel personnage semble penser qu'Argan n'est pas malade ? Relevez une phrase qui le prouve.

Un mariage au cœur de l'intrigue

5 Dans un dictionnaire, cherchez la signification du mot « quiproquo ». En quoi le début de la scène 5 correspond-il à cette définition ? Quand le malentendu est-il levé ?

6 Pour quelles raisons Argan veut-il que sa fille épouse Thomas Diafoirus ? Justifiez votre réponse par quelques citations. Que pensez-vous de ses motivations ?

7 Pourquoi Béline n'approuve-t-elle pas le projet de mariage ? Comparez son attitude et ses préoccupations au début (l. 6-63) puis à la fin (l. 79-83) de la scène 7.

Une comédie-ballet

8 Énumérez les différentes formes de spectacle auquel assiste le public depuis le lever du rideau. Que pouvez-vous en déduire sur l'objectif de la pièce ?

9 Quel thème de l'églogue retrouve-t-on dans l'acte I ? À la fin de celui-ci, comment le lien entre la comédie et le premier intermède se fait-il ? Relevez une citation pour justifier votre réponse.

10 (B2i) Dans le premier intermède, en quoi les échanges entre Polichinelle et les violons sont-ils amusants ? Sur Internet, cherchez l'origine de ce personnage : à quel type de spectacle appartient-il ?

Zoom sur la scène 5 (p. 35-41, l. 69-202)

11 « Doucement, Monsieur : vous ne songez pas que vous êtes malade » (l. 171-172) : en quoi cette réplique est-elle ironique ?

12 Observez la longueur et l'enchaînement des répliques des lignes 134 à 153 : quel est le ton de ce passage ? En vous appuyant sur les types de phrases, dites qui domine cet échange.

13 Dans les répliques de Toinette, relevez les verbes montrant qu'elle donne des conseils, puis des ordres, jusqu'à enfin emprunter le vocabulaire réservé au père. En quoi est-ce inattendu ?

✔ Rappelez-vous !

• Les premières scènes d'une pièce de théâtre sont appelées **scènes d'exposition**. Elles présentent au spectateur les personnages, leur caractère et la situation dans laquelle ils se trouvent.

• *Le Malade imaginaire* est une **comédie-ballet**. Ce genre mêlant théâtre, danse, musique et chant cherche à divertir le spectateur par tous les types de spectacle.

De la lecture à l'écriture

 Des mots pour mieux écrire

1 **a. Les noms de certains personnages de la pièce sont formés à partir de mots. Recopiez le tableau suivant et complétez-le. Quel est le seul nom valorisant ?**

Nom du personnage	Mot à partir duquel il est formé	Image donnée du personnage
Angélique		
	foire	
	purger	
Béline		

2 **a. Parmi les mots suivants, distinguez ceux qui appartiennent au champ lexical de l'attirance et ceux qui forment le champ lexical du rejet. Aidez-vous d'un dictionnaire si nécessaire.**

répugnance   prévention   penchant

passion   inclination   dégoût   attachement

b. Choisissez un mot dans chacun des deux champs lexicaux et employez-le dans une phrase qui en éclairera le sens.

71

À vous d'écrire

1 Angélique écrit à Cléante pour le prévenir que son père veut la marier à Thomas Diafoirus. Imaginez cette lettre.

Consigne. Votre texte, d'une quinzaine de lignes, devra respecter les règles de présentation d'une lettre intime. N'oubliez pas que les amoureux se vouvoient. Appuyez-vous sur le vocabulaire de l'exercice 2 (p. 71) afin d'exprimer les sentiments du personnage.

2 Imaginez que Toinette n'ait pas été appelée par Béline à la fin de la scène 8 : inventez la suite de cette scène. Angélique remerciera Toinette d'avoir pris sa défense auprès de son père et de lui avoir proposé son aide.

Consigne. Votre dialogue, d'une quinzaine de lignes, respectera la présentation d'une scène de théâtre et les informations apportées par l'acte I. Pensez à rédiger des didascalies. N'oubliez pas que Toinette vouvoie Angélique mais que celle-ci tutoie la servante.

Du texte à l'image

Argan (Ph. Séjourné) et Toinette (M. Épin) dans la mise en scène
de Gildas Bourdet, théâtre de l'Ouest Parisien, Boulogne-Billancourt, 2003.
Argan (Y. Pignot) et Béline (M. Heywang) dans la mise en scène
de Nicolas Briançon, théâtre 14, Paris, 2005.
➡ **Images reproduites en début d'ouvrage, au verso de la couverture.**

👁 *Lire l'image*

1 Décrivez précisément les deux photographies du haut
(personnages, couleurs dominantes, costumes, décor).
Quels points communs et quelles différences voyez-vous
entre les deux images ?

2 Comparez l'attitude des deux femmes : est-elle exactement
identique sur chacun des documents ? Laquelle de ces femmes
semble la plus inquiétante et pourquoi ?

3 Observez ces photographies et celles qui sont reproduites
aux pages II et III du cahier photos. Quel objet occupe une place
centrale sur scène ? Comparez les choix des différents metteurs
en scène pour représenter cet objet.

📄 *Comparer le texte et l'image*

4 À quel passage de l'acte I chacune de ces deux photographies
peut-elle correspondre ? Dites quels indices vous ont permis
de répondre.

5 Quels traits du caractère d'Argan, de Toinette et de Béline
ces photographies illustrent-elles ?

🖊 À vous de créer

6 **B2i** Vous allez créer une facture d'apothicaire comme celles que consulte Argan dans la scène 1.

– À la manière de M. Fleurant, imaginez trois groupes nominaux désignant des remèdes. Pour cela, recopiez le tableau suivant et complétez-le. Aidez-vous d'un dictionnaire de rimes et d'un dictionnaire de synonymes (vous pourrez les trouver au CDI de votre collège ou sur Internet).

Type de médicament	Propriété (adjectif se terminant par -tif)	Composition (composé de...)	Objectif (pour... + trois verbes synonymes à l'infinitif)
<u>Ex</u>: un comprimé	atténuatif	venin de vipère	pour détendre, apaiser, relaxer
Un...			pour...

– À l'aide d'un logiciel de traitement de texte, réalisez la facture d'apothicaire: recopiez dans un tableau les groupes nominaux désignant les médicaments et indiquez les prix de chacun d'eux (en sols, deniers, livres). N'oubliez pas de rédiger un en-tête comportant le nom de l'apothicaire, que vous inventerez.

ACTE II

Scène 1

TOINETTE, CLÉANTE

TOINETTE. – Que demandez-vous, Monsieur ?

CLÉANTE. – Ce que je demande ?

TOINETTE. – Ah, ah, c'est vous ? Quelle surprise ! Que venez-vous faire céans[1] ?

5 **CLÉANTE.** – Savoir ma destinée, parler à l'aimable Angélique, consulter les sentiments de son cœur, et lui demander ses résolutions sur ce mariage fatal[2] dont on m'a averti.

TOINETTE. – Oui, mais on ne parle pas comme cela de but en blanc[3] à Angélique : il y faut des mystères, et l'on vous a 10 dit l'étroite garde où elle est retenue, qu'on ne la laisse ni sortir, ni parler à personne, et que ce ne fut que la curiosité d'une vieille tante qui nous fit accorder la liberté d'aller à cette comédie qui donna lieu à la naissance de votre

---

1. Céans : ici.
2. Fatal : dramatique, qui a des conséquences malheureuses.
3. De but en blanc : directement, sans précautions.

passion ; et nous nous sommes bien gardées de parler de
15   cette aventure.

CLÉANTE. – Aussi ne viens-je pas ici comme Cléante et sous
l'apparence de son amant, mais comme ami de son maître de
musique, dont j'ai obtenu le pouvoir de dire qu'il m'envoie
à sa place.

20   TOINETTE. – Voici son père. Retirez-vous[1] un peu, et me
laissez lui dire que vous êtes là.

Scène 2

ARGAN, TOINETTE, CLÉANTE

ARGAN. – M. Purgon m'a dit de me promener le matin dans
ma chambre, douze allées, et douze venues ; mais j'ai oublié
à lui demander si c'est en long, ou en large.

TOINETTE. – Monsieur, voilà un…

5   ARGAN. – Parle bas, pendarde : tu viens m'ébranler tout le
cerveau, et tu ne songes pas qu'il ne faut point parler si
haut à des malades.

TOINETTE. – Je voulais vous dire, Monsieur…

ARGAN. – Parle bas, te dis-je.

---

1. **Retirez-vous** : éloignez-vous.

10   **TOINETTE.** – Monsieur…

Elle fait semblant de parler.

ARGAN. – Eh ?

TOINETTE. – Je vous dis que…

Elle fait semblant de parler.

ARGAN. – Qu'est-ce que tu dis ?

TOINETTE, *haut.* – Je dis que voilà un homme qui veut
15   parler à vous[1].

ARGAN. – Qu'il vienne.

Toinette fait signe à Cléante d'avancer.

CLÉANTE. – Monsieur…

TOINETTE, *raillant*[2]. – Ne parlez pas si haut, de peur d'ébranler le cerveau de Monsieur.

20   **CLÉANTE.** – Monsieur, je suis ravi de vous trouver debout
et de voir que vous vous portez mieux.

TOINETTE, *feignant d'être en colère.* – Comment « qu'il se porte
mieux » ? Cela est faux : Monsieur se porte toujours mal.

CLÉANTE. – J'ai ouï dire que Monsieur était mieux, et je lui
25   trouve bon visage.

TOINETTE. – Que voulez-vous dire avec votre bon visage ?
Monsieur l'a fort mauvais, et ce sont des impertinents qui
vous ont dit qu'il était mieux. Il ne s'est jamais si mal porté.

---

1. Parler à vous : vous parler (formule correcte au XVIIe siècle).
2. Raillant : se moquant.

30 **ARGAN.** – Elle a raison.

TOINETTE. – Il marche, dort, mange, et boit tout comme les autres ; mais cela n'empêche pas qu'il ne soit fort malade.

ARGAN. – Cela est vrai.

CLÉANTE. – Monsieur, j'en suis au désespoir. Je viens de la part du maître à chanter[1] de Mlle votre fille. Il s'est 35 vu obligé d'aller à la campagne pour quelques jours ; et comme[2] son ami intime, il m'envoie à sa place pour lui continuer ses leçons, de peur qu'en les interrompant elle ne vînt à oublier ce qu'elle sait déjà.

ARGAN. – Fort bien. Appelez Angélique.

40 **TOINETTE.** – Je crois, Monsieur, qu'il sera mieux de mener Monsieur à sa chambre.

ARGAN. – Non ; faites-la venir.

TOINETTE. – Il ne pourra lui donner leçon comme il faut, s'ils ne sont en particulier[3].

45 **ARGAN.** – Si fait[4], si fait.

TOINETTE. – Monsieur, cela ne fera que vous étourdir, et il ne faut rien pour vous émouvoir en l'état où vous êtes, et vous ébranler le cerveau.

---

1. **Maître à chanter** : professeur de chant.
2. **Comme** : en tant que.
3. **En particulier** : en tête-à-tête.
4. **Si fait** : si.

ARGAN. – Point, point: j'aime la musique, et je serai bien
50 aise de… Ah! la voici. Allez-vous-en voir, vous, si ma femme
est habillée.

Scène 3

ARGAN, ANGÉLIQUE, CLÉANTE

ARGAN. – Venez, ma fille: votre maître de musique est allé
aux champs[1], et voilà une personne qu'il envoie à sa place
pour vous montrer.

ANGÉLIQUE. – Ah, Ciel!

5 **ARGAN.** – Qu'est-ce? d'où vient cette surprise?

ANGÉLIQUE. – C'est…

ARGAN. – Quoi? qui vous émeut de la sorte?

ANGÉLIQUE. – C'est, mon père, une aventure surprenante
qui se rencontre ici.

10 **ARGAN.** – Comment?

ANGÉLIQUE. – J'ai songé[2] cette nuit que j'étais dans le plus
grand embarras du monde, et qu'une personne faite tout
comme Monsieur s'est présentée à moi, à qui j'ai demandé

---

1. **Aux champs**: à la campagne.
2. **J'ai songé**: j'ai rêvé.

secours, et qui m'est venue tirer de la peine où j'étais ; et
15   ma surprise a été grande de voir inopinément[1], en arrivant
ici, ce que j'ai eu dans l'idée toute la nuit.

CLÉANTE. – Ce n'est pas être malheureux que d'occuper votre
pensée, soit en dormant, soit en veillant, et mon bonheur
serait grand sans doute si vous étiez dans quelque peine
20   dont vous me jugeassiez digne de vous tirer ; et il n'y a rien
que je ne fisse pour…

Scène 4

TOINETTE, ARGAN, ANGÉLIQUE, CLÉANTE

TOINETTE, *par dérision*[2]. – Ma foi, Monsieur, je suis pour
vous maintenant[3], et je me dédis de tout ce que je disais
hier. Voici M. Diafoirus le père, et M. Diafoirus le fils, qui
viennent vous rendre visite. Que vous serez bien engendré ![4]
5   Vous allez voir le garçon le mieux fait du monde, et le plus
spirituel. Il n'a dit que deux mots, qui m'ont ravie, et votre
fille va être charmée de lui.

ARGAN, *à Cléante, qui feint de vouloir s'en aller*. – Ne vous
en allez point, Monsieur. C'est que je marie ma fille ; et

---

1. Inopinément : de manière imprévue.
2. Par dérision : ironiquement, pour se moquer.
3. Je suis pour vous maintenant : je suis de votre avis désormais.
4. Bien engendré : ici, pourvu d'un bon gendre (jeu de mots : « engendrer » signifie habituellement « donner la vie »).

10 voilà qu'on lui amène son prétendu mari, qu'elle n'a point encore vu.

CLÉANTE. – C'est m'honorer beaucoup, Monsieur, de vouloir que je sois témoin d'une entrevue si agréable.

ARGAN. – C'est le fils d'un habile médecin, et le mariage
15 se fera dans quatre jours.

CLÉANTE. – Fort bien.

ARGAN. – Mandez-le[1] un peu à son maître de musique, afin qu'il se trouve à la noce.

CLÉANTE. – Je n'y manquerai pas.

20 **ARGAN.** – Je vous y prie[2] aussi.

CLÉANTE. – Vous me faites beaucoup d'honneur.

TOINETTE. – Allons, qu'on se range[3], les voici.

---

1. **Mandez-le** : dites-le.
2. **Prie** : invite.
3. **Qu'on se range** : qu'on fasse de la place.

Scène 5

M. Diafoirus, Thomas Diafoirus, Toinette, Argan, Angélique, Cléante

Argan, *mettant la main à son bonnet sans l'ôter*[1]. – M. Purgon, Monsieur, m'a défendu de découvrir ma tête. Vous êtes du métier, vous savez les conséquences.

5 **M. Diafoirus.** – Nous sommes dans toutes nos visites pour porter secours aux malades, et non pour leur porter de l'incommodité[2].

Argan. – Je reçois, Monsieur…

Ils parlent tous deux en même temps, s'interrompent et confondent.

M. Diafoirus. – Nous venons ici, Monsieur…

Argan. – Avec beaucoup de joie…

10 **M. Diafoirus.** – Mon fils Thomas et moi…

Argan. – L'honneur que vous me faites…

M. Diafoirus. – Vous témoigner, Monsieur…

Argan. – Et j'aurais souhaité…

M. Diafoirus. – Le ravissement où nous sommes…

15 **Argan.** – De pouvoir aller chez vous…

---

1. La politesse voulait que les hommes retirent leur couvre-chef pour saluer.
2. Incommodité : inconfort, gêne.

M. Diafoirus. – De la grâce que vous nous faites…

Argan. – Pour vous en assurer…

M. Diafoirus. – De vouloir bien nous recevoir…

Argan. – Mais vous savez, Monsieur…

20 **M. Diafoirus.** – Dans l'honneur, Monsieur…

Argan. – Ce que c'est qu'un pauvre malade…

M. Diafoirus. – De votre alliance[1]…

Argan. – Qui ne peut faire autre chose…

M. Diafoirus. – Et vous assurer…

25 **Argan.** – Que de vous dire ici…

M. Diafoirus. – Que dans les choses qui dépendront de notre métier…

Argan. – Qu'il cherchera toutes les occasions…

M. Diafoirus. – De même qu'en toute autre…

30 **Argan.** – De vous faire connaître, Monsieur…

M. Diafoirus. – Nous serons toujours prêts, Monsieur…

Argan. – Qu'il est tout à votre service…

M. Diafoirus. – À vous témoigner notre zèle[2]. *(Il se retourne vers son fils et lui dit.)* Allons, Thomas, avancez. Faites vos
35 compliments[3].

---

1. Votre alliance : la parenté créée par le mariage à venir.
2. Zèle : grand désir de vous servir.
3. Compliments : petits discours de politesse.

THOMAS DIAFOIRUS *est un grand benêt, nouvellement sorti des Écoles*[1]*, qui fait toutes choses de mauvaise grâce et à contretemps*[2]*.* – N'est-ce pas par le père qu'il convient commencer?

M. DIAFOIRUS. – Oui.

40 THOMAS DIAFOIRUS. – Monsieur, je viens saluer, reconnaître, chérir, et révérer[3] en vous un second père ; mais un second père auquel j'ose dire que je me trouve plus redevable qu'au premier. Le premier m'a engendré ; mais vous m'avez choisi. Il m'a reçu par nécessité ; mais vous m'avez accepté

45 par grâce. Ce que je tiens de lui est un ouvrage de son corps ; mais ce que je tiens de vous est un ouvrage de votre volonté ; et d'autant plus que les facultés[4] spirituelles sont au-dessus des corporelles, d'autant plus je vous dois, et d'autant plus je tiens précieuse cette future filiation[5], dont

50 je viens aujourd'hui vous rendre par avance les très humbles et très respectueux hommages.

TOINETTE. – Vivent les collèges[6], d'où l'on sort si habile homme !

THOMAS DIAFOIRUS. – Cela a-t-il bien été, mon père ?

55 **M. DIAFOIRUS.** – *Optime*[7].

ARGAN, *à Angélique* – Allons, saluez Monsieur.

THOMAS DIAFOIRUS. – Baiserai-je[8] ?

---

1. **Écoles** : universités enseignant la médecine.
2. **De mauvaise grâce et à contretemps** : sans élégance et maladroitement.
3. **Révérer** : honorer, témoigner de mon respect.
4. **Facultés** : capacités.
5. **Filiation** : lien de parenté créé par le mariage.
6. **Collèges** : établissements dans lesquels on poursuivait des études supérieures.
7. *Optime* : en latin, « très bien ».
8. **Baiserai-je** : dois-je embrasser la main d'Angélique.

M. Diafoirus. – Oui, oui.

Thomas Diafoirus, *à Angélique.* – Madame, c'est avec justice
60   que le Ciel vous a concédé le nom de belle-mère, puisque
l'on…

Argan. – Ce n'est pas ma femme, c'est ma fille à qui vous
parlez.

Thomas Diafoirus. – Où donc est-elle?

65   **Argan.** – Elle va venir.

Thomas Diafoirus. – Attendrai-je, mon père, qu'elle soit
venue?

M. Diafoirus. – Faites toujours le compliment de Mademoiselle.

70   **Thomas Diafoirus.** – Mademoiselle, ne plus ne moins[1]
que la statue de Memnon[2] rendait un son harmonieux,
lorsqu'elle venait à être éclairée des rayons du soleil: tout
de même me sens-je animé d'un doux transport à l'appa-
rition du soleil de vos beautés. Et comme les naturalistes
75   remarquent que la fleur nommée héliotrope[3] tourne sans
cesse vers cet astre du jour, aussi mon cœur dores-en-avant[4]
tournera-t-il toujours vers les astres resplendissants de vos
yeux adorables, ainsi que vers son pôle unique. Souffrez
donc, Mademoiselle, que j'appende[5] aujourd'hui à l'autel

---

1. Ne plus ne moins: ni plus ni moins.
2. La statue de Memnon: statue érigée en Égypte et dont les auteurs grecs pensaient
qu'elle représentait Memnon, fils de l'Aurore dans la mythologie grecque. La roche est
supposée produire un son musical aux premiers rayons du soleil.
3. Naturalistes: scientifiques qui étudiaient les sciences naturelles; **héliotrope**: fleur
qui se tourne vers le soleil, comme le tournesol.
4. Dores-en-avant: dorénavant.
5. J'appende: je suspende, j'attache.

80 de vos charmes l'offrande de ce cœur, qui ne respire ni n'ambitionne autre gloire, que d'être toute sa vie, Mademoiselle, votre très humble, très obéissant et très fidèle serviteur et mari.

Toinette, *en le raillant*. – Voilà ce que c'est que d'étudier,
85 on apprend à dire de belles choses.

Argan. – Eh! que dites-vous de cela?

Cléante. – Que Monsieur fait merveilles, et que s'il est aussi bon médecin qu'il est bon orateur[1], il y aura plaisir à être de ses malades.

90 **Toinette**. – Assurément. Ce sera quelque chose d'admirable s'il fait d'aussi belles cures qu'il fait de beaux discours.

Argan. – Allons vite ma chaise, et des sièges à tout le monde. Mettez-vous là, ma fille. Vous voyez, Monsieur, que tout le monde admire M. votre fils, et je vous trouve bien heureux
95 de vous voir un garçon comme cela.

M. Diafoirus. – Monsieur, ce n'est pas parce que je suis son père, mais je puis dire que j'ai sujet d'être content de lui, et que tous ceux qui le voient en parlent comme d'un garçon qui n'a point de méchanceté. Il n'a jamais eu l'ima-
100 gination bien vive, ni ce feu d'esprit[2] qu'on remarque dans quelques-uns; mais c'est par là que j'ai toujours bien auguré de sa judiciaire[3], qualité requise pour l'exercice de notre art. Lorsqu'il était petit, il n'a jamais été ce qu'on appelle mièvre[4] et éveillé. On le voyait toujours doux, paisible et

---

1. **Bon orateur**: personne douée pour rédiger des discours et s'exprimer en public.
2. **Ce feu d'esprit**: cette vivacité intellectuelle.
3. **Judiciaire**: faculté de jugement.
4. **Mièvre**: au xviie siècle, malin, espiègle.

105 taciturne[1], ne disant jamais mot, et ne jouant jamais à tous
ces petits jeux que l'on nomme enfantins. On eut toutes les
peines du monde à lui apprendre à lire, et il avait neuf ans,
qu'il ne connaissait pas encore ses lettres. «Bon, disais-je
en moi-même, les arbres tardifs sont ceux qui portent les
110 meilleurs fruits; on grave sur le marbre bien plus malai-
sément que sur le sable; mais les choses y sont conservées
bien plus longtemps, et cette lenteur à comprendre, cette
pesanteur d'imagination, est la marque d'un bon jugement à
venir.» Lorsque je l'envoyai au collège, il trouva de la peine;
115 mais il se roidissait[2] contre les difficultés, et ses régents[3] se
louaient toujours à moi de son assiduité, et de son travail.
Enfin, à force de battre le fer, il en est venu glorieusement
à avoir ses licences[4]; et je puis dire sans vanité que depuis
deux ans qu'il est sur les bancs, il n'y a point de candidat
120 qui ait fait plus de bruit que lui dans toutes les disputes[5]
de notre École. Il s'y est rendu redoutable, et il ne s'y passe
point d'acte où il n'aille argumenter à outrance[6] pour la
proposition contraire. Il est ferme dans la dispute, fort
comme un Turc sur ses principes, ne démord jamais de
125 son opinion, et poursuit un raisonnement jusque dans les
derniers recoins de la logique. Mais sur toute chose ce qui
me plaît de lui, et en quoi il suit mon exemple, c'est qu'il
s'attache aveuglément aux opinions de nos anciens[7], et

---

1. **Taciturne**: renfermé, parlant peu.
2. **Se roidissait**: tenait bon.
3. **Régents**: professeurs.
4. **Battre le fer**: faire de gros efforts; **licences**: diplômes.
5. **Disputes**: longs débats d'idées.
6. **Point d'acte où il n'aille argumenter à outrance**: pas de séance où il ne défende pas son point de vue très longuement et avec beaucoup de conviction.
7. **Nos anciens**: les médecins de l'Antiquité.

que jamais il n'a voulu comprendre ni écouter les raisons
130   et les expériences des prétendues découvertes de notre
siècle, touchant la circulation du sang, et autres opinions
de même farine[1].

THOMAS DIAFOIRUS. *Il tire une grande thèse[2] roulée de sa poche,
qu'il présente à Angélique.* – J'ai contre les circulateurs[3] sou-
135   tenu une thèse, qu'avec la permission de Monsieur, j'ose
présenter à Mademoiselle, comme un hommage que je lui
dois des prémices[4] de mon esprit.

ANGÉLIQUE. – Monsieur, c'est pour moi un meuble[5] inutile,
et je ne me connais pas à ces choses-là.

140   **TOINETTE.** – Donnez, donnez, elle est toujours bonne à
prendre pour l'image ; cela servira à parer[6] notre chambre.

THOMAS DIAFOIRUS. – Avec la permission aussi de Monsieur,
je vous invite à venir voir l'un de ces jours, pour vous divertir, la dissection d'une femme, sur quoi je dois raisonner.

145   **TOINETTE.** – Le divertissement sera agréable. Il y en a qui
donnent la comédie[7] à leurs maîtresses ; mais donner une
dissection est quelque chose de plus galant[8].

M. DIAFOIRUS. – Au reste, pour ce qui est des qualités requises
pour le mariage et la propagation[9], je vous assure que, selon

---

1. De même farine : de la même sorte.
2. Thèse : ouvrage écrit par un futur médecin à la fin de ses études.
3. Circulateurs : personnes convaincues que le sang circule dans les veines, ce qui,
au XVIIe siècle, étaient une idée nouvelle, rejetée par certains.
4. Prémices : premières productions.
5. Meuble : objet.
6. Parer : décorer.
7. Donnent la comédie : font jouer des pièces de théâtre pour leur plaire.
8. Galant : élégant et raffiné (ironique).
9. Propagation : procréation.

150 les règles de nos docteurs, il est tel qu'on le peut souhaiter, qu'il possède en un degré louable la vertu prolifique[1] et qu'il est du tempérament qu'il faut pour engendrer et procréer des enfants bien conditionnés.

ARGAN. – N'est-ce pas votre intention, Monsieur, de le pousser
155 à la cour[2], et d'y ménager pour lui une charge de médecin ?

M. DIAFOIRUS. – À vous en parler franchement, notre métier auprès des grands[3] ne m'a jamais paru agréable, et j'ai toujours trouvé qu'il valait mieux, pour nous autres, demeurer au public[4]. Le public est commode. Vous n'avez à répondre
160 de vos actions à personne ; et pourvu que l'on suive le courant des règles de l'art, on ne se met point en peine de tout ce qui peut arriver. Mais ce qu'il y a de fâcheux auprès des grands, c'est que, quand ils viennent à être malades, ils veulent absolument que leurs médecins les guérissent.

165 TOINETTE. – Cela est plaisant, et ils sont bien impertinents de vouloir que vous autres messieurs vous les guérissiez : vous n'êtes point auprès d'eux pour cela ; vous n'y êtes que pour recevoir vos pensions[5], et leur ordonner des remèdes ; c'est à eux de guérir s'ils peuvent.

170 M. DIAFOIRUS. – Cela est vrai. On n'est obligé qu'à traiter les gens dans les formes[6].

---

1. **Vertu prolifique** : capacité à faire des enfants.
2. **Le pousser à la cour** : le faire entrer comme médecin à la cour du roi.
3. **Grands** : personnes puissantes (c'est-à-dire le roi et sa cour).
4. **Public** : peuple.
5. **Pensions** : revenus réguliers (le médecin d'un grand seigneur n'était pas payé à l'acte médical).
6. **Dans les formes** : selon les règles.

Argan, *à Cléante.* – Monsieur, faites un peu chanter ma fille devant la compagnie.

Cléante. – J'attendais vos ordres, Monsieur, et il m'est
175 venu en pensée, pour divertir la compagnie, de chanter avec Mademoiselle une scène d'un petit opéra qu'on a fait depuis peu. Tenez, voilà votre partie[1].

Angélique. – Moi?

Cléante. – Ne vous défendez point, s'il vous plaît, et me
180 laissez vous faire comprendre ce que c'est que la scène que nous devons chanter. Je n'ai pas une voix à chanter; mais ici il suffit que je me fasse entendre, et l'on aura la bonté de m'excuser par la nécessité où je me trouve de faire chanter Mademoiselle.

185 **Argan.** – Les vers en sont-ils beaux?

Cléante. – C'est proprement ici un petit opéra impromptu[2], et vous n'allez entendre chanter que de la prose cadencée[3], ou des manières de vers libres, tels que la passion et la nécessité peuvent faire trouver à deux personnes qui
190 disent les choses d'eux-mêmes, et parlent sur-le-champ.

Argan. – Fort bien. Écoutons.

Cléante, *sous le nom d'un berger, explique à sa maîtresse son amour depuis leur rencontre, et ensuite ils s'appliquent leurs pensées l'un à l'autre en chantant.* – Voici le sujet de la scène.
195 Un Berger était attentif aux beautés d'un spectacle, qui ne faisait que commencer, lorsqu'il fut tiré de son attention

---

1. Partie: partition.
2. Impromptu: improvisé.
3. Prose cadencée: paroles rythmées mais qui ne sont pas écrites en vers.

par un bruit qu'il entendit à ses côtés. Il se retourne, et voit un brutal[1], qui de paroles insolentes maltraitait une Bergère. D'abord il prend les intérêts d'un sexe à qui tous 200 les hommes doivent hommage[2]; et après avoir donné au brutal le châtiment de son insolence, il vient à la Bergère, et voit une jeune personne qui, des deux plus beaux yeux qu'il eût jamais vus, versait des larmes, qu'il trouva les plus belles du monde. «Hélas! dit-il en lui-même, est-on capable 205 d'outrager[3] une personne si aimable? Et quel inhumain, quel barbare ne serait touché par de telles larmes?» Il prend soin de les arrêter, ces larmes, qu'il trouve si belles; et l'aimable Bergère prend soin en même temps de le remercier de son léger service, mais d'une manière si char- 210 mante, si tendre, et si passionnée, que le Berger n'y peut résister; et chaque mot, chaque regard, est un trait plein de flamme[4], dont son cœur se sent pénétré. «Est-il, disait-il, quelque chose qui puisse mériter les aimables paroles d'un tel remerciement? Et que ne voudrait-on pas faire, à quels 215 services, à quels dangers, ne serait-on pas ravi de courir, pour s'attirer un seul moment des touchantes douceurs d'une âme si reconnaissante?» Tout le spectacle passe sans qu'il y donne aucune attention; mais il se plaint qu'il est trop court, parce qu'en finissant il le sépare de son adorable 220 Bergère; et de cette première vue, de ce premier moment, il emporte chez lui tout ce qu'un amour de plusieurs années peut avoir de plus violent. Le voilà aussitôt à sentir tous les maux de l'absence, et il est tourmenté de ne plus voir ce

---

1. **Brutal**: rustre, homme sans bonnes manières.
2. **Un sexe à qui tous les hommes doivent hommage**: le genre féminin, les femmes.
3. **Outrager**: offenser.
4. **Flamme**: passion amoureuse (métaphore).

qu'il a si peu vu. Il fait tout ce qu'il peut pour se redonner
225 cette vue[1], dont il conserve, nuit et jour, une si chère idée ;
mais la grande contrainte où l'on tient sa Bergère lui en ôte
tous les moyens. La violence de sa passion le fait résoudre
à demander en mariage l'adorable beauté sans laquelle il
ne peut plus vivre, et il en obtient d'elle la permission par
230 un billet qu'il a l'adresse de lui faire tenir[2]. Mais dans le
même temps on l'avertit que le père de cette belle a conclu
son mariage avec un autre, et que tout se dispose pour en
célébrer la cérémonie. Jugez quelle atteinte cruelle au cœur
de ce triste Berger. Le voilà accablé d'une mortelle douleur.
235 Il ne peut souffrir l'effroyable idée de voir tout ce qu'il
aime entre les bras d'un autre ; et son amour au désespoir
lui fait trouver moyen de s'introduire dans la maison de
sa Bergère, pour apprendre ses sentiments et savoir d'elle
la destinée à laquelle il doit se résoudre. Il y rencontre les
240 apprêts[3] de tout ce qu'il craint ; il y voit venir l'indigne
rival que le caprice d'un père oppose aux tendresses de
son amour. Il le voit triomphant, ce rival ridicule, auprès
de l'aimable Bergère, ainsi qu'auprès d'une conquête qui
lui est assurée ; et cette vue le remplit d'une colère, dont
245 il a peine à se rendre le maître. Il jette de douloureux
regards sur celle qu'il adore ; et son respect, et la présence
de son père l'empêchent de lui rien dire que des yeux[4].
Mais enfin il force toute contrainte, et le transport de son
amour l'oblige à lui parler ainsi *(il chante)* :

---

1. **Pour se redonner cette vue** : pour revoir la Bergère.
2. **Billet** : mot rédigé à la main ; **tenir** : parvenir.
3. **Apprêts** : préparatifs.
4. **Que des yeux** : si ce n'est avec les yeux.

250 *Belle Philis, c'est trop, c'est trop souffrir ;*
Rompons ce dur silence, et m'ouvrez vos pensées.
Apprenez-moi ma destinée :
Faut-il vivre ? Faut-il mourir ?

ANGÉLIQUE *répond en chantant.*
Vous me voyez, Tircis, triste et mélancolique,
255 *Aux apprêts de l'hymen[1] dont vous vous alarmez[2] :*
Je lève au ciel les yeux, je vous regarde, je soupire,
C'est vous en dire assez.

ARGAN. – Ouais ! je ne croyais pas que ma fille fût si habile
que de chanter ainsi à livre ouvert, sans hésiter.

CLÉANTE
260 *Hélas ! belle Philis,*
Se pourrait-il que l'amoureux Tircis
Eût assez de bonheur,
Pour avoir quelque place dans votre cœur ?

ANGÉLIQUE
Je ne m'en défends point dans cette peine extrême :
265 *Oui, Tircis, je vous aime.*

CLÉANTE
Ô parole pleine d'appas[3] !
Ai-je bien entendu, hélas !
Redites-la, Philis, que je n'en doute pas.

---

1. **Hymen** : mariage.
2. **Alarmez** : inquiétez.
3. **Pleine d'appas** : séduisante, réjouissante.

ANGÉLIQUE
Oui, Tircis, je vous aime.

CLÉANTE
270   *De grâce, encor[1], Philis.*

ANGÉLIQUE
Je vous aime.

CLÉANTE
Recommencez cent fois, ne vous en lassez pas.

ANGÉLIQUE
Je vous aime, je vous aime,
Oui, Tircis, je vous aime.

CLÉANTE
275   *Dieux, rois, qui sous vos pieds regardez tout le monde,*
Pouvez-vous comparer votre bonheur au mien ?
Mais, Philis, une pensée
Vient troubler ce doux transport :
Un rival, un rival...

ANGÉLIQUE
280   *Ah ! je le hais plus que la mort ;*
Et sa présence, ainsi qu'à vous,
M'est un cruel supplice.

---

1. Encor : encore (orthographe du XVIIe siècle).

CLÉANTE
Mais un père à ses vœux vous veut assujettir [1].

ANGÉLIQUE
Plutôt, plutôt mourir,
285   *Que de jamais y consentir ;*
Plutôt, plutôt mourir, plutôt mourir.

ARGAN. – Et que dit le père à tout cela ?

CLÉANTE. – Il ne dit rien.

ARGAN. – Voilà un sot père que ce père-là, de souffrir toutes
290 ces sottises-là sans rien dire.

CLÉANTE
Ah ! mon amour…

ARGAN. – Non, non, en voilà assez. Cette comédie-là est de
fort mauvais exemple. Le berger Tircis est un impertinent,
et la bergère Philis une impudente, de parler de la sorte
295 devant son père. Montrez-moi ce papier. Ha, ha. Où sont
donc les paroles que vous avez dites ? Il n'y a là que de la
musique écrite ?

CLÉANTE. – Est-ce que vous ne savez pas, Monsieur, qu'on
a trouvé depuis peu l'invention d'écrire les paroles avec
300 les notes mêmes ?

ARGAN. – Fort bien. Je suis votre serviteur, Monsieur ; jusqu'au
revoir. Nous nous serions bien passés de votre impertinent
d'opéra.

---

1. **Assujettir** : forcer à obéir, soumettre.

Cléante. – J'ai cru vous divertir.

305 **Argan.** – Les sottises ne divertissent point. Ah ! voici ma femme.

Scène 6

Béline, M. Diafoirus, Thomas Diafoirus,
Toinette, Argan, Angélique, Cléante

Argan. – Mamour, voilà le fils de M. Diafoirus.

Thomas Diafoirus *commence un compliment qu'il avait étudié, et la mémoire lui manquant, il ne peut le continuer.* – Madame, c'est avec justice que le Ciel vous a concédé le nom de
5 belle-mère, puisque l'on voit sur votre visage…

Béline. – Monsieur, je suis ravie d'être venue ici à propos pour avoir l'honneur de vous voir.

Thomas Diafoirus. – Puisque l'on voit sur votre visage… puisque l'on voit sur votre visage… Madame, vous m'avez
10 interrompu dans le milieu de ma période, et cela m'a troublé la mémoire.

M. Diafoirus. – Thomas, réservez cela pour une autre fois.

Argan. – Je voudrais, mamie, que vous eussiez été ici tantôt.

Toinette. – Ah ! Madame, vous avez bien perdu de n'avoir
15 point été au second père, à la statue de Memnon, et à la fleur nommée héliotrope.

Une comédie-ballet

Argan (Alain Pralon) dans la mise en scène de Claude Stratz, Comédie-Française, Paris, 2001.
➡ **Voir lecture d'images, p. 175.**

Argan (Yves Pignot) dans la mise en scène de Nicolas Briançon, théâtre 14, Paris, 2005.
➡ **Voir lecture d'images, p. 175.**

I

Argan à la merci des médecins

Thomas Diafoirus (Anthony Mettler), Argan (Jean-Claude Dreyfus) et M. Diafoirus (Jean Terensier) dans la mise en scène de François Bourcier, théâtre Silvia Monfort, Paris, 1999.
➡ **Voir lecture d'images, p. 179.**

Béralde (Patrice Vion), Argan (Renaud de Manoël) et M. Fleurant (Richard Delestre) dans la mise en scène de Colette Roumanoff, théâtre Fontaine, Paris, 2006.
➡ **Voir lecture d'images, p. 179.**

Toinette
(Catherine Hiegel)
et Argan
(Alain Pralon)
dans la mise
en scène
de Claude Stratz,
Comédie-Française,
Paris, 2001.
➡ **Voir lecture
d'images, p. 176.**

M. Purgon
(Christian
Bouillette)
et Argan
(Michel Bouquet)
dans la mise
en scène de
Georges Werler,
théâtre
de la Porte
Saint-Martin,
Paris, 2008.
➡ **Voir lecture
d'images, p. 179.**

Caricatures de médecins

L'Habit de médecin, gravure,
XVIIIe siècle.
➡ **Voir lecture d'images, p. 181.**

Honoré Daumier, *Le Malade imaginaire*, craie noire
et aquarelle, vers 1850.
➡ **Voir lecture d'images, p. 181.**

Cham, *Caricature sur les allopathes
et les homéopathes*, illustration, 1863.
➡ **Voir lecture d'images, p. 181.**

Félix Lorioux, *Le Malade imaginaire*,
illustration, 1928.
➡ **Voir lecture d'images, p. 181.**

IV

ARGAN. – Allons, ma fille, touchez dans la main de Monsieur, et lui donnez votre foi[1], comme à votre mari.

ANGÉLIQUE. – Mon père.

20 **ARGAN.** – Hé bien ! « Mon père ? » Qu'est-ce que cela veut dire ?

ANGÉLIQUE. – De grâce, ne précipitez pas les choses. Donnez-moi au moins le temps de nous connaître, et de voir naître en nous l'un pour l'autre cette inclination si nécessaire à 25 composer une union parfaite.

THOMAS DIAFOIRUS. – Quant à moi, Mademoiselle, elle est déjà toute née en moi, et je n'ai pas besoin d'attendre davantage.

ANGÉLIQUE. – Si vous êtes si prompt, Monsieur, il n'en est 30 pas de même de moi, et je vous avoue que votre mérite n'a pas encore fait assez d'impression dans mon âme.

ARGAN. – Ho bien, bien ! cela aura tout le loisir de se faire quand vous serez mariés ensemble.

ANGÉLIQUE. – Eh ! mon père, donnez-moi du temps, je vous 35 prie. Le mariage est une chaîne où l'on ne doit jamais soumettre un cœur par force ; et si Monsieur est honnête homme, il ne doit point vouloir accepter une personne qui serait à lui par contraire[2].

---

1. **Touchez dans la main de Monsieur** : donnez votre main à Monsieur, en signe d'accord ; **foi** : engagement.
2. **Par contraire** : par contrainte, en y étant forcée.

THOMAS DIAFOIRUS. – *Nego consequentiam*[1], Mademoiselle,
40 et je puis être honnête et vouloir bien vous accepter des
mains de M. votre père.

ANGÉLIQUE. – C'est un méchant moyen de se faire aimer
de quelqu'un que de lui faire violence.

THOMAS DIAFOIRUS. – Nous lisons des anciens, Mademoiselle,
45 que leur coutume était d'enlever par force de la maison des
pères les filles qu'on menait marier, afin qu'il ne semblât
pas que ce fût de leur consentement qu'elles convolaient[2]
dans les bras d'un homme.

ANGÉLIQUE. – Les anciens, Monsieur, sont les anciens, et
50 nous sommes les gens de maintenant. Les grimaces ne sont
point nécessaires dans notre siècle; et quand un mariage
nous plaît, nous savons fort bien y aller, sans qu'on nous y
traîne. Donnez-vous patience: si vous m'aimez, Monsieur,
vous devez vouloir tout ce que je veux.

55 THOMAS DIAFOIRUS. – Oui, Mademoiselle, jusqu'aux intérêts
de mon amour exclusivement.

ANGÉLIQUE. – Mais la grande marque d'amour, c'est d'être
soumis aux volontés de celle qu'on aime.

THOMAS DIAFOIRUS. – *Distinguo*, Mademoiselle: dans ce qui
60 ne regarde point sa possession, *concedo*; mais dans ce qui
la regarde, *nego*[3].

---

1. *Nego consequentiam* : en latin, « je nie la conséquence », c'est-à-dire « je réfute
votre raisonnement, je ne suis pas d'accord ».
2. *Convolaient* : se mariaient.
3. *Distinguo, concedo, nego* : en latin, « je distingue », « je concède », « je nie » (vocabulaire traditionnellement employé par les auteurs latins pour défendre leurs idées).

TOINETTE. – Vous avez beau raisonner : Monsieur est frais émoulu[1] du collège, et il vous donnera toujours votre reste[2]. Pourquoi tant résister, et refuser la gloire d'être attachée
65   au corps de la Faculté[3] ?

BÉLINE. – Elle a peut-être quelque inclination en tête.

ANGÉLIQUE. – Si j'en avais, Madame, elle serait telle que la raison et l'honnêteté pourraient me la permettre.

ARGAN. – Ouais ! je joue ici un plaisant personnage.

70   **BÉLINE.** – Si j'étais que de vous[4], mon fils, je ne la forcerais point à se marier, et je sais bien ce que je ferais.

ANGÉLIQUE. – Je sais, Madame, ce que vous voulez dire et les bontés que vous avez pour moi ; mais peut-être que vos conseils ne seront pas assez heureux pour être exécutés.

75   **BÉLINE.** – C'est que les filles bien sages et bien honnêtes, comme vous, se moquent d'être obéissantes, et soumises aux volontés de leurs pères. Cela était bon autrefois.

ANGÉLIQUE. – Le devoir d'une fille a des bornes[5], Madame, et la raison et les lois ne l'étendent point à toutes sortes
80   de choses.

BÉLINE. – C'est-à-dire que vos pensées ne sont que pour le mariage ; mais vous voulez choisir un époux à votre fantaisie[6].

---

1. **Frais émoulu** : tout juste sorti.
2. **Il vous donnera toujours votre reste** : il aura toujours réponse à tout.
3. **Corps de la Faculté** : université de médecine.
4. **Si j'étais que de vous** : si j'étais à votre place.
5. **Bornes** : limites.
6. **À votre fantaisie** : selon votre goût.

ANGÉLIQUE. – Si mon père ne veut pas me donner un mari qui me plaise, je le conjurerai au moins de ne me point
85 forcer à en épouser un que je ne puisse pas aimer.

ARGAN. – Messieurs, je vous demande pardon de tout ceci.

ANGÉLIQUE. – Chacun a son but en se mariant. Pour moi, qui ne veux un mari que pour l'aimer véritablement, et qui prétends en faire tout l'attachement de ma vie, je vous
90 avoue que j'y cherche quelque précaution. Il y en a d'aucunes[1] qui prennent des maris seulement pour se tirer de la contrainte de leurs parents, et se mettre en état de faire tout ce qu'elles voudront. Il y en a d'autres, Madame, qui font du mariage un commerce de pur intérêt, qui ne se marient
95 que pour gagner des douaires[2], que pour s'enrichir par la mort de ceux qu'elles épousent, et courent sans scrupule de mari en mari, pour s'approprier leurs dépouilles. Ces personnes-là, à la vérité, n'y cherchent pas tant de façons[3], et regardent peu la personne.

100 BÉLINE. – Je vous trouve aujourd'hui bien raisonnante[4], et je voudrais bien savoir ce que vous voulez dire par là.

ANGÉLIQUE. – Moi, Madame, que voudrais-je dire que ce que je dis ?

BÉLINE. – Vous êtes si sotte, mamie, qu'on ne saurait plus
105 vous souffrir.

---

1. **D'aucunes** : certaines.
2. **Douaires** : biens qu'un homme laisse à son épouse à sa mort.
3. **N'y cherchent pas tant de façons** : ne font pas tant de manières.
4. **Raisonnante** : ici, bavarde, qui tient beaucoup de discours.

ANGÉLIQUE. – Vous voudriez bien, Madame, m'obliger à vous répondre quelque impertinence ; mais je vous avertis que vous n'aurez pas cet avantage.

BÉLINE. – Il n'est rien d'égal à votre insolence.

110 ANGÉLIQUE. – Non, Madame, vous avez beau dire.

BÉLINE. – Et vous avez un ridicule orgueil, une impertinente présomption[1] qui fait hausser les épaules à tout le monde.

ANGÉLIQUE. – Tout cela, Madame, ne servira de rien. Je serai sage en dépit de vous[2] ; et pour vous ôter l'espérance de 115 pouvoir réussir dans ce que vous voulez, je vais m'ôter de votre vue.

ARGAN. – Écoute, il n'y a point de milieu à cela[3] : choisis d'épouser dans quatre jours, ou Monsieur, ou un couvent. Ne vous mettez pas en peine, je la rangerai bien[4].

120 BÉLINE. – Je suis fâchée de vous quitter, mon fils, mais j'ai une affaire en ville, dont je ne puis me dispenser. Je reviendrai bientôt.

ARGAN. – Allez, mamour, et passez chez votre notaire, afin qu'il expédie[5] ce que vous savez.

125 BÉLINE. – Adieu, mon petit ami.

ARGAN. – Adieu, mamie. Voilà une femme qui m'aime… cela n'est pas croyable.

---

1. **Présomption** : prétention, vanité.
2. **En dépit de vous** : malgré vos efforts.
3. **Il n'y a point de milieu à cela** : il n'y a pas de compromis possible.
4. **Je la rangerai bien** : je la contraindrai, je la ferai obéir.
5. **Expédie** : achève vite.

M. Diafoirus. – Nous allons, Monsieur, prendre congé de vous.

130 **Argan.** – Je vous prie, Monsieur, de me dire un peu comment je suis.

M. Diafoirus *lui tâte le pouls* [1]. – Allons, Thomas, prenez l'autre bras de Monsieur, pour voir si vous saurez porter un bon jugement de son pouls. *Quid dicis* [2] ?

135 **Thomas Diafoirus.** – *Dico* [3] que le pouls de Monsieur est le pouls d'un homme qui ne se porte point bien.

M. Diafoirus. – Bon.

Thomas Diafoirus. – Qu'il est duriuscule [4], pour ne pas dire dur.

140 **M. Diafoirus.** – Fort bien.

Thomas Diafoirus. – Repoussant [5].

M. Diafoirus. – *Bene* [6].

Thomas Diafoirus. – Et même un peu caprisant [7].

M. Diafoirus. – *Optime.*

145 **Thomas Diafoirus.** – Ce qui marque une intempérie dans le *parenchyme splénique* [8], c'est-à-dire la rate.

---

1. Pouls : perception de la circulation du sang, qu'on vérifie en palpant une artère.
2. *Quid dicis* : en latin, « qu'en dis-tu ».
3. *Dico* : en latin, « je dis ».
4. Duriuscule : un peu dur.
5. Repoussant : qui repousse le doigt.
6. *Bene* : en latin, « bien ».
7. Caprisant : irrégulier, qui s'interrompt puis se précipite.
8. Intempérie : déséquilibre ; ***parenchyme splénique*** : partie de la rate, un organe situé dans l'abdomen.

Gustave Brion, illustration pour *Le Malade imaginaire*, gravure, XIXᵉ siècle.

M. Diafoirus. – Fort bien.

Argan. – Non : M. Purgon dit que c'est mon foie qui est malade.

150 **M. Diafoirus.** – Eh ! oui : qui dit *parenchyme*, dit l'un et l'autre, à cause de l'étroite sympathie[1] qu'ils ont ensemble, par le moyen du *vas breve du pylore*[2], et souvent des *méats cholidoques*[3]. Il vous ordonne sans doute de manger force rôti ?

Argan. – Non, rien que du bouilli.

155 **M. Diafoirus.** – Eh ! oui : rôti, bouilli, même chose. Il vous ordonne fort prudemment, et vous ne pouvez être en de meilleures mains.

Argan. – Monsieur, combien est-ce qu'il faut mettre de grains de sel dans un œuf ?

160 **M. Diafoirus.** – Six, huit, dix, par les nombres pairs ; comme dans les médicaments, par les nombres impairs.

Argan. – Jusqu'au revoir, Monsieur.

---

1. **Sympathie** : influence réciproque.
2. **Vas breve** : en latin, « canal court » ; **pylore** : orifice inférieur de l'estomac.
3. **Méats cholidoques** : conduits qui recueillent la bile.

Scène 7

BÉLINE, ARGAN

BÉLINE. – Je viens, mon fils, avant que de sortir, vous donner avis[1] d'une chose à laquelle il faut que vous preniez
garde. En passant par-devant la chambre d'Angélique, j'ai
vu un jeune homme avec elle, qui s'est sauvé d'abord qu'il
5   m'a vue[2].

ARGAN. – Un jeune homme avec ma fille ?

BÉLINE. – Oui. Votre petite fille Louison était avec eux, qui
pourra vous en dire des nouvelles.

ARGAN. – Envoyez-la ici, mamour, envoyez-la ici. Ah, l'effron-
10 tée ! je ne m'étonne plus de sa résistance.

Scène 8

LOUISON, ARGAN

LOUISON. – Qu'est-ce que vous voulez, mon papa ? Ma belle-
maman m'a dit que vous me demandez.

---

1. Donner avis : avertir.
2. D'abord qu'il m'a vue : dès qu'il m'a vue.

ARGAN. – Oui, venez çà[1], avancez là. Tournez-vous, levez les yeux, regardez-moi. Eh!

5 LOUISON. – Quoi, mon papa?

ARGAN. – Là.

LOUISON. – Quoi?

ARGAN. – N'avez-vous rien à me dire?

LOUISON. – Je vous dirai, si vous voulez, pour vous désen-
10 nuyer, le conte de *Peau d'âne*[2], ou bien la fable du *Corbeau
et du Renard*[3], qu'on m'a apprise depuis peu.

ARGAN. – Ce n'est pas là ce que je demande.

LOUISON. – Quoi donc?

ARGAN. – Ah! rusée, vous savez bien ce que je veux dire.

15 LOUISON. – Pardonnez-moi, mon papa.

ARGAN. – Est-ce là comme vous m'obéissez?

LOUISON. – Quoi?

ARGAN. – Ne vous ai-je pas recommandé de me venir dire
d'abord[4] tout ce que vous voyez?

20 LOUISON. – Oui, mon papa.

ARGAN. – L'avez-vous fait?

---

1. Çà: là.
2. *Peau d'âne*: conte populaire (la version de Charles Perrault n'est publiée qu'ulté-
rieurement, en 1694).
3. «Le corbeau et le renard»: fable de Jean de La Fontaine (1621-1695), parue en
1668.
4. D'abord: tout de suite.

LOUISON. – Oui, mon papa. Je vous suis venue dire tout ce que j'ai vu.

ARGAN. – Et n'avez-vous rien vu aujourd'hui ?

25 LOUISON. – Non, mon papa.

ARGAN. – Non ?

LOUISON. – Non, mon papa.

ARGAN. – Assurément ?

LOUISON. – Assurément.

30 ARGAN. – Oh çà ! je m'en vais vous faire voir quelque chose, moi.

Il va prendre une poignée de verges[1].

LOUISON. – Ah ! mon papa.

ARGAN. – Ah, ah ! petite masque[2], vous ne me dites pas que vous avez vu un homme dans la chambre de votre sœur ?

35 LOUISON. – Mon papa !

ARGAN. – Voici qui vous apprendra à mentir.

LOUISON *se jette à genoux*. – Ah ! mon papa, je vous demande pardon. C'est que ma sœur m'avait dit de ne pas vous le dire ; mais je m'en vais vous dire tout.

40 ARGAN. – Il faut premièrement que vous ayez le fouet pour avoir menti. Puis après nous verrons au reste.

LOUISON. – Pardon, mon papa !

---

1. **Verges** : baguettes de bois longues et fines.
2. **Masque** : dissimulatrice, rusée.

ARGAN. – Non, non.

LOUISON. – Mon pauvre papa, ne me donnez pas le fouet !

45 ARGAN. – Vous l'aurez.

LOUISON. – Au nom de Dieu ! mon papa, que je ne l'aie pas.

ARGAN, *la prenant pour la fouetter.* – Allons, allons.

LOUISON. – Ah ! mon papa, vous m'avez blessée. Attendez : je suis morte. *(Elle contrefait la morte[1].)*

50 ARGAN. – Holà ! Qu'est-ce là ? Louison, Louison. Ah, mon Dieu ! Louison. Ah ! ma fille ! Ah ! malheureux, ma pauvre fille est morte. Qu'ai-je fait, misérable ! Ah ! chiennes de verges. La peste soit des verges ! Ah ! ma pauvre fille, ma pauvre petite Louison.

55 LOUISON. – Là, là, mon papa, ne pleurez point tant, je ne suis pas morte tout à fait.

ARGAN. – Voyez-vous la petite rusée ? Oh çà, çà ! je vous pardonne pour cette fois-ci, pourvu que vous me disiez bien tout.

60 LOUISON. – Ho ! oui, mon papa.

ARGAN. – Prenez-y bien garde au moins, car voilà un petit doigt qui sait tout, qui me dira si vous mentez.

LOUISON. – Mais, mon papa, ne dites pas à ma sœur que je vous l'ai dit.

65 ARGAN. – Non, non.

---

1. **Elle contrefait la morte** : elle feint d'être morte.

LOUISON. – C'est, mon papa, qu'il est venu un homme dans la chambre de ma sœur comme j'y étais.

ARGAN. – Hé bien ?

LOUISON. – Je lui ai demandé ce qu'il demandait, et il m'a
70 dit qu'il était son maître à chanter.

ARGAN. – Hon, hon. Voilà l'affaire. Hé bien ?

LOUISON. – Ma sœur est venue après.

ARGAN. – Hé bien ?

LOUISON. – Elle lui a dit : « Sortez, sortez, sortez, mon Dieu !
75 sortez ; vous me mettez au désespoir. »

ARGAN. – Hé bien ?

LOUISON. – Et lui, il ne voulait pas sortir.

ARGAN. – Qu'est-ce qu'il lui disait ?

LOUISON. – Il lui disait je ne sais combien de choses.

80 ARGAN. – Et quoi encore ?

LOUISON. – Il lui disait tout ci, tout ça[1], qu'il l'aimait bien, et qu'elle était la plus belle du monde.

ARGAN. – Et puis après ?

LOUISON. – Et puis après, il se mettait à genoux devant elle.

85 ARGAN. – Et puis après ?

LOUISON. – Et puis après, il lui baisait les mains.

ARGAN. – Et puis après ?

---

1. **Tout ci, tout ça** : ceci, cela.

LOUISON. – Et puis après, ma belle-maman est venue à la porte, et il s'est enfui.

90 **ARGAN**. – Il n'y a point autre chose?

LOUISON. – Non, mon papa.

ARGAN. – Voilà mon petit doigt pourtant qui gronde quelque chose. *(Il met son doigt à son oreille.)* Attendez. Eh! ah, ah! oui? Oh, oh! voilà mon petit doigt qui me dit quelque chose
95 que vous avez vu, et que vous ne m'avez pas dit.

LOUISON. – Ah! mon papa, votre petit doigt est un menteur.

ARGAN. – Prenez garde.

LOUISON. – Non, mon papa, ne le croyez pas, il ment, je vous assure.

100 **ARGAN**. – Oh bien, bien! nous verrons cela. Allez-vous-en, et prenez bien garde à tout: allez. Ah! il n'y a plus d'enfants. Ah! que d'affaires! je n'ai pas seulement le loisir de songer à ma maladie. En vérité, je n'en puis plus.

Il se remet dans sa chaise.

Scène 9
BÉRALDE, ARGAN

BÉRALDE. – Hé bien! mon frère, qu'est-ce? comment vous portez-vous?

ARGAN. – Ah ! mon frère, fort mal.

BÉRALDE. – Comment « fort mal » ?

5 **ARGAN.** – Oui, je suis dans une faiblesse si grande que cela n'est pas croyable.

BÉRALDE. – Voilà qui est fâcheux.

ARGAN. – Je n'ai pas seulement la force de pouvoir parler.

BÉRALDE. – J'étais venu ici, mon frère, vous proposer un
10 parti pour ma nièce Angélique.

ARGAN, *parlant avec emportement, et se levant de sa chaise.* – Mon frère, ne me parlez point de cette coquine-là. C'est une friponne, une impertinente, une effrontée, que je mettrai dans un couvent avant qu'il soit deux jours.

15 **BÉRALDE.** – Ah ! voilà qui est bien : je suis bien aise que la force vous revienne un peu, et que ma visite vous fasse du bien. Oh çà ! nous parlerons d'affaires tantôt. Je vous amène ici un divertissement[1], que j'ai rencontré, qui dissipera votre chagrin, et vous rendra l'âme mieux disposée
20 aux choses que nous avons à dire. Ce sont des Égyptiens, vêtus en Mores[2], qui font des danses mêlées de chansons, où je suis sûr que vous prendrez plaisir ; et cela vaudra bien une ordonnance de M. Purgon. Allons.

---

1. Divertissement : spectacle.
2. Égyptiens : nom que l'on donnait aux bohémiens, aux gitans ; **Mores** ou maures : membres d'un peuple d'Afrique du Nord.

Second intermède

*Le frère du Malade imaginaire lui amène, pour le divertir,
plusieurs Égyptiens et Égyptiennes, vêtus en Mores, qui font
des danses entremêlées de chansons.*

PREMIÈRE FEMME MORE
*Profitez du printemps
De vos beaux ans,
Aimable jeunesse ;
Profitez du printemps*

5

*De vos beaux ans,
Donnez-vous à la tendresse.*

*Les plaisirs les plus charmants,
Sans l'amoureuse flamme,
Pour contenter une âme*

10

N'ont point d'attraits assez puissants.

*Profitez du printemps
De vos beaux ans,
Aimable jeunesse ;
Profitez du printemps*

15

*De vos beaux ans,
Donnez-vous à la tendresse.*

*Ne perdez point ces précieux moments :
La beauté passe,
Le temps l'efface,*

20

L'âge de glace[1]
Vient à sa place,
Qui nous ôte le goût de ces doux passe-temps.

Profitez du printemps
De vos beaux ans,
25
Aimable jeunesse ;
Profitez du printemps
De vos beaux ans,
Donnez-vous à la tendresse.

SECONDE FEMME MORE
Quand d'aimer on nous presse
30
À quoi songez-vous ?
Nos cœurs, dans la jeunesse,
N'ont vers la tendresse
Qu'un penchant trop doux ;
L'amour a pour nous prendre
35
De si doux attraits,
Que de soi[2]*, sans attendre,*
On voudrait se rendre
À ses premiers traits[3] *:*
Mais tout ce qu'on écoute
40
Des vives douleurs
Et des pleurs
Qu'il nous coûte

---

1. L'âge de glace : la vieillesse.
2. De soi : spontanément.
3. Traits : flèches. Allusion à Cupidon, dieu de l'amour dans la mythologie grecque : à l'aide de son arc, il décoche des flèches dans les cœurs afin de rendre les humains et les dieux amoureux.

Fait qu'on en redoute
Toutes les douceurs.

Troisième femme more

45 *Il est doux, à notre âge,*
D'aimer tendrement
Un amant
Qui s'engage :
Mais s'il est volage[1],
50 *Hélas ! quel tourment !*

Quatrième femme more

L'amant qui se dégage[2]
N'est pas le malheur :
La douleur
Et la rage,
55 *C'est que le volage*
Garde notre cœur.

Seconde femme more

Quel parti faut-il prendre
Pour nos jeunes cœurs ?

Quatrième femme more

Devons-nous nous y rendre
60 *Malgré ses rigueurs ?*

Ensemble

Oui, suivons nos ardeurs,
Ses transports, ses caprices,

---

1. Volage : infidèle.
2. Qui se dégage : qui rompt, qui s'en va.

Ses douces langueurs;
  S'il a quelques supplices,
Il a cent délices
  Qui charment les cœurs.

ENTRÉE DE BALLET

Tous les Mores dansent ensemble,
et font sauter des singes qu'ils ont amenés avec eux.

Un quiz pour commencer

Cochez les bonnes réponses.

1 *Pour qui Cléante se fait-il passer afin de voir Angélique ?*

❒ Pour un apothicaire.

❒ Pour un notaire.

❒ Pour un ami de son maître de musique.

2 *Avec qui Thomas Diafoirus confond-il Angélique ?*

❒ Avec Béline.

❒ Avec Louison.

❒ Avec Toinette.

3 *Quel divertissement Thomas Diafoirus propose-t-il à Angélique ?*

❒ Une promenade au bord de l'eau.

❒ Un exposé sur les maladies de son père.

❒ La dissection d'une femme.

4 *Pourquoi M. Diafoirus préfère-t-il soigner le peuple plutôt que les nobles ?*

❏ Parce que les gens du peuple sont moins souvent malades.

❏ Parce que les gens du peuple ont des maladies moins compliquées.

❏ Parce que les nobles veulent absolument que le médecin les guérisse.

5 *Pourquoi Cléante a-t-il l'idée de chanter un opéra avec Angélique ?*

❏ Pour distraire les Diafoirus.

❏ Pour connaître les sentiments d'Angélique sur Thomas Diafoirus.

❏ Pour faire patienter l'assemblée en attendant Béline.

6 *Pourquoi Argan fait-il venir Louison ?*

❏ Pour qu'elle lui donne son opinion sur Thomas Diafoirus.

❏ Pour qu'elle lui installe ses coussins.

❏ Pour qu'elle lui raconte l'entrevue entre Angélique et Cléante.

7 *Qui est Béralde ?*

❏ Le père d'Argan.

❏ Un ami d'Argan.

❏ Le frère d'Argan.

8 *À l'issue de l'acte II, que décide finalement Argan à propos d'Angélique ?*

❏ Elle partira pour le couvent avant deux jours.

❏ Elle épousera Thomas Diafoirus dès le lendemain.

❏ Elle épousera M. Purgon dans les deux jours.

Des questions pour aller plus loin

→ *Analyser le comique dans l'acte II*

Un fiancé peu séduisant

1 Dans la scène 5, observez les questions que Thomas pose à son père et les réponses de celui-ci. Que peut-on en déduire sur le caractère de Thomas et sur leur relation ?

2 En quoi le portrait que dresse M. Diafoirus de son fils (scène 5, l. 96-132) est-il contradictoire ? Dressez la liste des défauts de Thomas mis en évidence. Justifiez chacun d'eux par une citation.

3 Que pensez-vous des réponses de Thomas à Angélique dans la scène 6 ? Que révèlent-elles ? Prouvez-le en citant quelques-unes de ses expressions.

Une situation amusante

4 Pourquoi le récit de Cléante concernant le Berger et la Bergère (scène 5, l. 195-247) est-il si long ? Relevez les expressions positives qui qualifient la Bergère.

5 Quel avantage l'opéra improvisé a-t-il pour Cléante et Angélique ? En quoi la situation est-elle plaisante pour les deux jeunes gens ?

6 Argan déclare : « voilà un sot père que ce père-là, de souffrir toutes ces sottises-là sans rien dire » (p. 95, l. 289-290). En quoi cette réplique est-elle particulièrement amusante ?

La satire de la médecine

7 Reformulez l'opinion de M. Diafoirus sur les découvertes scientifiques (p. 88, l. 129-132) et sur l'exercice de la médecine (p. 89, l. 156-171). Quelle image des médecins est ainsi donnée ?

8 Soulignez les termes savants employés par les Diafoirus lors de leur consultation (scène 6). Retrouvez l'unique geste médical qui détermine le diagnostic. Que pensez-vous de cette consultation ?

9 Comparez le diagnostic et la prescription de M. Purgon à celles qu'établissent les Diafoirus à la fin de la scène 6. Comment les Diafoirus se justifient-ils ? Quelles conclusions en tirez-vous ?

Zoom sur la scène 6 (p. 97-100, l. 17-101)

10 Que demande Angélique à son père avec insistance (l. 22-38) ? Identifiez le principal mode verbal qu'elle emploie lorsqu'elle s'adresse à lui et relevez les expressions montrant qu'elle implore son indulgence.

11 (Lecture d'image) Observez la photographie reproduite en début d'ouvrage, au verso de la couverture, en bas : quelle réplique la comédienne pourrait-elle être en train de prononcer ?

12 Relevez les trois phrases par lesquelles Angélique révèle à Thomas ses sentiments à son égard. Quelle gradation observez-vous ?

13 Dans quel passage Angélique fait-elle allusion aux véritables intentions de sa belle-mère ? Comment celle-ci réagit-elle ?

✔ Rappelez-vous !

• Il existe différents **types de comique**, dont le comique de caractère, de situation, de mots et de gestes. Dans l'acte II du *Malade imaginaire*, Molière utilise ces quatre types de comique pour amuser le spectateur.

• Le comique de cet acte provient également de la **satire des médecins**, c'est-à-dire d'une critique amusante de cette profession. Ainsi, la pièce n'a pas seulement vocation à faire rire, elle vise aussi à corriger le comportement de certains hommes.

De la lecture à l'écriture

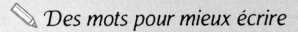

Des mots pour mieux écrire

1 a. *En vous aidant d'un dictionnaire si nécessaire, identifiez l'intrus qui s'est glissé dans chacune des listes de mots suivantes.*

A. Harmonieux   Charmant   Adorable   Gracieux   Brutal

B. Amant   Outrage   Attachement   Attrait   Appas

C. Flatter   Complimenter   Flagorner   Critiquer   Encenser

b. *Dites à quel champ lexical appartiennent ces mots.*

2 a. *Recopiez le tableau suivant et complétez-le à l'aide d'un synonyme de chacun des mots ou expressions soulignés.*

Citations tirées de l'acte II	Synonymes
«le mariage est une chaîne où l'on ne doit jamais <u>soumettre</u> un cœur par force» (p. 97, l. 35-36)	
«il ne doit point vouloir accepter une personne qui serait à lui <u>par contraire</u>» (p. 97, l. 37-38)	
«leur coutume était d'enlever <u>par force</u> [...] les filles qu'on menait marier» (p. 98, l. 45-46)	

b. *Retrouvez un nom commun de la même famille que chacun des verbes suivants.*

se rebeller   résister   s'opposer   refuser   désobéir

À vous d'écrire

1 Dans la scène 5, Thomas Diafoirus présente ses compliments à Argan et à Angélique, mais la réplique destinée à Béline est interrompue (l. 3-11). Imaginez le discours élogieux que Thomas avait appris pour elle.

Consigne. Votre texte, d'une quinzaine de lignes, commencera par la phrase «Madame, c'est avec justice que le Ciel vous a concédé le nom de belle-mère, puisque l'on voit sur votre visage...» (p. 96, l. 3-5), que vous compléterez. Écrivez à la manière de Thomas Diafoirus (exagérations, phrases longues) en prenant modèle sur le compliment adressé à Argan (l. 40-51) ou à Angélique (l. 70-83).

2 Angélique s'oppose au mariage décidé par son père. Vous est-il déjà arrivé de vous opposer à un projet qu'on voulait vous imposer ?

Consigne. Votre récit, d'une quinzaine de lignes, sera organisé à l'aide de paragraphes qui exposeront le projet qui vous concernait, votre opposition et l'issue de l'histoire. Vous conclurez en exprimant votre avis sur votre comportement lors de cette anecdote.

Du texte à l'image

William Hogarth, *Le Contrat de mariage*, huile sur toile, 1743.
M. Diafoirus (J. Dautremay), Thomas Diafoirus (A. Pavloff), Argan (A. Pralon), Angélique (J. Decker) et Béline (C. Sauval) dans la mise en scène de Claude Stratz, Comédie-Française, Paris, 2001.
➡ **Images reproduites en fin d'ouvrage, au verso de la couverture.**

👁 Lire l'image

1 La toile de Hogarth peint la négociation d'un mariage arrangé. Le père du marié est tout à droite : que montre-t-il de la main gauche ? Que veut-il prouver ? Le père de la mariée est le personnage en rouge au centre : à quoi les sacs d'argent à ses pieds vont-ils servir ?

2 Les futurs mariés sont les deux personnages les plus à gauche du tableau. Décrivez leur attitude. Leur union vous semble-t-elle harmonieuse ?

3 Observez la photographie de mise en scène. En vous appuyant sur le placement des personnages, montrez qu'elle est composée de façon symétrique.

Comparer le texte et l'image

4 Quelle scène de l'acte II la photographie représente-t-elle ? Appuyez-vous sur les personnages présents pour répondre.

5 Quelles préoccupations communes Argan et les pères du tableau partagent-ils ?

6 Quels points communs existent entre la situation d'Angélique et Thomas Diafoirus et celle des futurs mariés du tableau ?

À vous de créer

7 Sur la toile de Hogarth, la future mariée discute avec le jeune homme placé à sa gauche. Imaginez les paroles des trois jeunes personnages du tableau en écrivant une scène de théâtre d'une quinzaine de lignes. Rédigez ce que pourrait murmurer le fiancé sous la forme d'un aparté. N'oubliez pas d'insérer des didascalies.

ACTE III

Scène 1

BÉRALDE, ARGAN, TOINETTE

BÉRALDE. – Hé bien! mon frère, qu'en dites-vous? cela ne vaut-il pas bien une prise de casse[1]?

TOINETTE. – Hon, de bonne casse est bonne[2].

BÉRALDE. – Oh çà! voulez-vous que nous parlions un peu
5 ensemble?

ARGAN. – Un peu de patience, mon frère, je vais revenir.

TOINETTE. – Tenez, Monsieur, vous ne songez pas[3] que vous ne sauriez marcher sans bâton.

ARGAN. – Tu as raison.

---

1. **Prise de casse**: dose de laxatif.
2. **De bonne casse est bonne**: la prise d'un remède est toujours meilleure (ironique).
3. **Vous ne songez pas**: vous oubliez.

Scène 2

BÉRALDE, TOINETTE

TOINETTE. – N'abandonnez pas, s'il vous plaît, les intérêts de votre nièce.

BÉRALDE. – J'emploierai toutes choses pour lui obtenir ce qu'elle souhaite.

5 **TOINETTE.** – Il faut absolument empêcher ce mariage extra-vagant[1] qu'il s'est mis dans la fantaisie[2], et j'avais songé en moi-même que ç'aurait été une bonne affaire de pouvoir introduire ici un médecin à notre poste[3], pour le dégoûter de son M. Purgon, et lui décrier sa conduite. Mais, comme 10 nous n'avons personne en main pour cela, j'ai résolu de jouer un tour de ma tête.

BÉRALDE. – Comment?

TOINETTE. – C'est une imagination burlesque. Cela sera peut-être plus heureux que sage. Laissez-moi faire : agissez 15 de votre côté. Voici notre homme.

---

1. **Extravagant** : déraisonnable.
2. **Dans la fantaisie** : en tête.
3. **À notre poste** : qui agisse selon nos souhaits, qui soit de notre côté.

Scène 3

ARGAN, BÉRALDE

BÉRALDE. – Vous voulez bien, mon frère, que je vous demande, avant toute chose, de ne vous point échauffer l'esprit[1] dans notre conversation.

ARGAN. – Voilà qui est fait.

5 BÉRALDE. – De répondre sans nulle aigreur[2] aux choses que je pourrai vous dire.

ARGAN. – Oui.

BÉRALDE. – Et de raisonner ensemble, sur les affaires dont nous avons à parler, avec un esprit détaché de toute passion[3].

10 ARGAN. – Mon Dieu ! oui. Voilà bien du préambule[4].

BÉRALDE. – D'où vient, mon frère, qu'ayant le bien que vous avez, et n'ayant d'enfants qu'une fille, car je ne compte pas la petite, d'où vient, dis-je, que vous parlez de la mettre dans un couvent ?

15 ARGAN. – D'où vient, mon frère, que je suis maître dans ma famille pour faire ce que bon me semble ?

BÉRALDE. – Votre femme ne manque pas de vous conseiller de vous défaire[5] ainsi de vos deux filles, et je ne doute point

---

1. **De ne vous point échauffer l'esprit** : de ne pas vous mettre en colère.
2. **Aigreur** : mauvaise humeur.
3. **Détaché de toute passion** : calme, raisonnable.
4. **Préambule** : discours d'introduction.
5. **Ne manque pas de** : ne cesse de ; **défaire** : séparer.

que, par un esprit de charité[1], elle ne fût ravie de les voir
20 toutes deux bonnes religieuses.

ARGAN. – Oh çà! nous y voici. Voilà d'abord la pauvre femme
en jeu[2]: c'est elle qui fait tout le mal, et tout le monde lui
en veut.

BÉRALDE. – Non, mon frère; laissons-la là; c'est une femme
25 qui a les meilleures intentions du monde pour votre famille,
et qui est détachée de toute sorte d'intérêt, qui a pour vous
une tendresse merveilleuse, et qui montre pour vos enfants
une affection et une bonté qui n'est pas concevable: cela
est certain. N'en parlons point, et revenons à votre fille.
30 Sur quelle pensée, mon frère, la voulez-vous donner en
mariage au fils d'un médecin?

ARGAN. – Sur la pensée, mon frère, de me donner un gendre
tel qu'il me faut.

BÉRALDE. – Ce n'est point là, mon frère, le fait de votre fille,
35 et il se présente un parti plus sortable[3] pour elle.

ARGAN. – Oui, mais celui-ci, mon frère, est plus sortable
pour moi.

BÉRALDE. – Mais le mari qu'elle doit prendre doit-il être,
mon frère, ou pour elle, ou pour vous?

40 ARGAN. – Il doit être, mon frère, et pour elle, et pour moi,
et je veux mettre dans ma famille les gens dont j'ai besoin.

---

1. Charité: qualité chrétienne, capacité à aimer et agir de façon désintéressée
(ironique).
2. En jeu: en cause.
3. Plus sortable: plus approprié, qui lui convient mieux.

BÉRALDE. – Par cette raison-là, si votre petite était grande, vous lui donneriez en mariage un apothicaire ?

ARGAN. – Pourquoi non ?

45 **BÉRALDE.** – Est-il possible que vous serez toujours embéguiné[1] de vos apothicaires et de vos médecins, et que vous vouliez être malade en dépit des gens et de la nature ?

ARGAN. – Comment l'entendez-vous[2], mon frère ?

BÉRALDE. – J'entends, mon frère, que je ne vois point d'homme
50 qui soit moins malade que vous, et que je ne demanderais point une meilleure constitution[3] que la vôtre. Une grande marque que vous vous portez bien et que vous avez un corps parfaitement bien composé[4], c'est qu'avec tous les soins que vous avez pris, vous n'avez pu parvenir encore à gâter
55 la bonté de votre tempérament[5], et que vous n'êtes point crevé[6] de toutes les médecines qu'on vous a fait prendre.

ARGAN. – Mais savez-vous, mon frère, que c'est cela qui me conserve, et que M. Purgon dit que je succomberais, s'il était seulement trois jours sans prendre soin de moi ?

60 **BÉRALDE.** – Si vous n'y prenez garde, il prendra tant de soin de vous qu'il vous enverra en l'autre monde.

ARGAN. – Mais raisonnons un peu, mon frère. Vous ne croyez donc point à la médecine ?

---

1. **Embéguiné** : entiché, obsédé.
2. **Comment l'entendez-vous** : que voulez-vous dire.
3. **Constitution** : santé.
4. **Bien composé** : robuste.
5. **La bonté de votre tempérament** : l'excellence de votre état physique.
6. **Crevé** : mort (le mot n'est pas familier au XVIIᵉ siècle).

BÉRALDE. – Non, mon frère, et je ne vois pas que, pour son
65 salut[1], il soit nécessaire d'y croire.

ARGAN. – Quoi? vous ne tenez pas véritable une chose établie par tout le monde, et que tous les siècles ont révélée?

BÉRALDE. – Bien loin de la tenir véritable, je la trouve, entre
nous, une des plus grandes folies qui soit parmi les hommes,
70 et à regarder les choses en philosophe[2], je ne vois point de
plus plaisante momerie[3], je ne vois rien de plus ridicule
qu'un homme qui se veut mêler d'en guérir un autre.

ARGAN. – Pourquoi ne voulez-vous pas, mon frère, qu'un
homme en puisse guérir un autre?

75 **BÉRALDE.** – Par la raison, mon frère, que les ressorts de notre
machine[4] sont des mystères, jusques ici, où les hommes ne
voient goutte[5], et que la nature nous a mis au-devant des
yeux des voiles trop épais pour y connaître quelque chose.

ARGAN. – Les médecins ne savent donc rien, à votre compte[6]?

80 **BÉRALDE.** – Si fait, mon frère. Ils savent la plupart de fort
belles humanités[7], savent parler en beau latin, savent nom-
mer en grec toutes les maladies, les définir et les diviser;
mais, pour ce qui est de les guérir, c'est ce qu'ils ne savent
point du tout.

---

1. **Pour son salut**: pour être sauvé, pour avoir la vie sauve.
2. **En philosophe**: comme le ferait un sage.
3. **Momerie**: mascarade, farce ridicule.
4. **Les ressorts de notre machine**: les mécanismes de notre corps.
5. **Ne voient goutte**: ne comprennent rien.
6. **À votre compte**: selon vous.
7. **Humanités**: connaissances en littérature, en particulier grecque et latine.

85   **ARGAN.** – Mais toujours faut-il demeurer d'accord que, sur cette matière, les médecins en savent plus que les autres.

BÉRALDE. – Ils savent, mon frère, ce que je vous ai dit, qui ne guérit pas de grand-chose ; et toute l'excellence de leur art consiste en un pompeux galimatias, en un spécieux
90   babil[1], qui vous donne des mots pour des raisons, et des promesses pour des effets.

ARGAN. – Mais enfin, mon frère, il y a des gens aussi sages et aussi habiles que vous ; et nous voyons que, dans la maladie, tout le monde a recours aux médecins.

95   **BÉRALDE.** – C'est une marque de faiblesse humaine, et non pas de la vérité de leur art.

ARGAN. – Mais il faut bien que les médecins croient leur art véritable, puisqu'ils s'en servent pour eux-mêmes.

BÉRALDE. – C'est qu'il y en a parmi eux qui sont eux-mêmes
100   dans l'erreur populaire, dont ils profitent, et d'autres qui en profitent sans y être. Votre M. Purgon, par exemple, n'y sait point de finesse[2] : c'est un homme tout médecin, depuis la tête jusqu'aux pieds ; un homme qui croit à ses règles plus qu'à toutes les démonstrations des mathématiques, et
105   qui croirait du crime à les vouloir examiner[3] ; qui ne voit rien d'obscur dans la médecine, rien de douteux, rien de difficile, et qui, avec une impétuosité de prévention[4], une

---

1. Pompeux galimatias : discours confus et prétentieux ; **spécieux babil** : bavardage apparemment brillant, mais vide en réalité.
2. N'y sait point de finesse : n'est pas volontairement malhonnête.
3. Qui croirait du crime à les vouloir examiner : qui pense que ce serait un crime de les remettre en cause.
4. Avec une impétuosité de prévention : à cause de jugements hâtifs, dans l'élan de ses préjugés.

roideur de confiance, une brutalité de sens commun et de raison, donne au travers[1] des purgations et des saignées, et ne balance[2] aucune chose. Il ne lui faut point vouloir mal de tout ce qu'il pourra vous faire : c'est de la meilleure foi du monde qu'il vous expédiera[3], et il ne fera, en vous tuant, que ce qu'il a fait à sa femme et à ses enfants, et ce qu'en un besoin il ferait à lui-même.

ARGAN. – C'est que vous avez, mon frère, une dent de lait[4] contre lui. Mais enfin venons au fait. Que faire donc quand on est malade ?

BÉRALDE. – Rien, mon frère.

ARGAN. – Rien ?

BÉRALDE. – Rien. Il ne faut que demeurer en repos. La nature, d'elle-même, quand nous la laissons faire, se tire doucement du désordre où elle est tombée. C'est notre inquiétude, c'est notre impatience qui gâte tout, et presque tous les hommes meurent de leurs remèdes, et non pas de leurs maladies.

ARGAN. – Mais il faut demeurer d'accord, mon frère, qu'on peut aider cette nature par de certaines choses.

BÉRALDE. – Mon Dieu ! mon frère, ce sont pures idées, dont nous aimons à nous repaître ; et, de tout temps, il s'est glissé parmi les hommes de belles imaginations, que nous venons à croire, parce qu'elles nous flattent et qu'il serait

---

1. **Donne au travers** : se jette aveuglément dans.
2. **Ne balance** : ne met en doute.
3. **Expédiera** : fera mourir.
4. **Une dent de lait** : une rancune ancienne.

à souhaiter qu'elles fussent véritables. Lorsqu'un médecin vous parle d'aider, de secourir, de soulager la nature, de lui ôter ce qui lui nuit et lui donner ce qui lui manque, de
135 la rétablir et de la remettre dans une pleine facilité de ses fonctions ; lorsqu'il vous parle de rectifier le sang, de tempérer les entrailles et le cerveau, de dégonfler la rate, de raccommoder la poitrine, de réparer le foie, de fortifier le cœur, de rétablir et conserver la chaleur naturelle, et d'avoir
140 des secrets pour étendre la vie à de longues années : il vous dit justement le roman de la médecine. Mais quand vous en venez à la vérité et à l'expérience, vous ne trouvez rien de tout cela, et il en est comme de ces beaux songes qui ne vous laissent au réveil que le déplaisir de les avoir crus.

145 ARGAN. – C'est-à-dire que toute la science du monde est renfermée dans votre tête, et vous voulez en savoir plus que tous les grands médecins de notre siècle.

BÉRALDE. – Dans les discours et dans les choses, ce sont deux sortes de personnes que vos grands médecins. Entendez-les
150 parler : les plus habiles gens du monde ; voyez-les faire : les plus ignorants de tous les hommes.

ARGAN. – Hoy ! Vous êtes un grand docteur[1], à ce que je vois, et je voudrais bien qu'il y eût ici quelqu'un de ces messieurs pour rembarrer vos raisonnements et rabaisser
155 votre caquet.

BÉRALDE. – Moi, mon frère, je ne prends point à tâche[2] de combattre la médecine ; et chacun, à ses périls et fortune[3],

---

1. **Docteur** : savant reconnu dans son domaine.
2. **Je ne prends point à tâche** : je n'ai pas pour but.
3. **À ses périls et fortune** : à ses risques et périls.

peut croire tout ce qu'il lui plaît. Ce que j'en dis n'est qu'entre nous, et j'aurais souhaité de pouvoir un peu vous tirer de l'erreur où vous êtes, et, pour vous divertir, vous mener voir sur ce chapitre quelqu'une des comédies de Molière.

ARGAN. – C'est un bon impertinent que votre Molière avec ses comédies, et je le trouve bien plaisant d'aller jouer[1] d'honnêtes gens comme les médecins.

BÉRALDE. – Ce ne sont point les médecins qu'il joue, mais le ridicule de la médecine.

ARGAN. – C'est bien à lui à faire de se mêler de contrôler la médecine ; voilà un bon nigaud, un bon impertinent, de se moquer des consultations et des ordonnances, de s'attaquer au corps des médecins, et d'aller mettre sur son théâtre des personnes vénérables[2] comme ces messieurs-là.

BÉRALDE. – Que voulez-vous qu'il y mette que[3] les diverses professions des hommes ? On y met bien tous les jours les princes et les rois, qui sont d'aussi bonne maison que les médecins.

ARGAN. – Par la mort non de diable ! si j'étais que des médecins[4], je me vengerais de son impertinence ; et quand il sera malade, je le laisserais mourir sans secours. Il aurait beau faire et beau dire, je ne lui ordonnerais pas la moindre petite saignée[5], le moindre petit lavement, et je lui dirais :

---

1. Bien plaisant d'aller jouer : bien audacieux de mettre en scène afin de s'en moquer.
2. Vénérables : respectables.
3. Que : d'autre que.
4. Si j'étais que des médecins : si j'étais à la place des médecins.
5. Saignée : technique médicale consistant à prélever le sang du malade en grande quantité. Les médecins du XVIIe siècle pensaient ainsi chasser le mal du corps humain.

« Crève, crève ! cela t'apprendra une autre fois à te jouer à la Faculté[1]. »

BÉRALDE. – Vous voilà bien en colère contre lui.

185 **ARGAN.** – Oui, c'est un malavisé[2], et si les médecins sont sages, ils feront ce que je dis.

BÉRALDE. – Il sera encore plus sage que vos médecins, car il ne leur demandera point de secours.

ARGAN. – Tant pis pour lui s'il n'a point recours aux remèdes.

190 **BÉRALDE.** – Il a ses raisons pour n'en point vouloir, et il soutient que cela n'est permis qu'aux gens vigoureux et robustes, et qui ont des forces de reste pour porter[3] les remèdes avec la maladie ; mais que, pour lui, il n'a justement de la force que pour porter son mal.

195 **ARGAN.** – Les sottes raisons que voilà ! Tenez, mon frère, ne parlons point de cet homme-là davantage, car cela m'échauffe la bile, et vous me donneriez mon mal[4].

BÉRALDE. – Je le veux bien, mon frère ; et, pour changer de discours, je vous dirai que, sur une petite répugnance[5] 200 que vous témoigne votre fille, vous ne devez point prendre les résolutions violentes de la mettre dans un couvent ; que, pour le choix d'un gendre, il ne vous faut pas suivre aveuglément la passion qui vous emporte, et qu'on doit, sur cette matière, s'accommoder un peu à[6] l'inclination

---

1. **Te jouer à la Faculté** : te moquer de la médecine.
2. **Malavisé** : sot.
3. **Porter** : supporter.
4. **Vous me donneriez mon mal** : vous déclencheriez une crise de ma maladie.
5. **Répugnance** : ici, opposition, résistance.
6. **S'accommoder [...] à** : composer avec, prendre en compte.

205 d'une fille, puisque c'est pour toute la vie, et que de là
dépend tout le bonheur d'un mariage.

Scène 4

M. Fleurant, *une seringue à la main*, Argan, Béralde

Argan. – Ah! mon frère, avec votre permission.

Béralde. – Comment? que voulez-vous faire?

Argan. – Prendre ce petit lavement-là; ce sera bientôt fait.

Béralde. – Vous vous moquez. Est-ce que vous ne sauriez
5 être un moment sans lavement ou sans médecine? Remettez
cela à une autre fois, et demeurez un peu en repos.

Argan. – M. Fleurant, à ce soir, ou à demain au matin.

M. Fleurant, *à Béralde*. – De quoi vous mêlez-vous de vous
opposer aux ordonnances de la médecine, et d'empêcher
10 Monsieur de prendre mon clystère? Vous êtes bien plaisant
d'avoir cette hardiesse-là!

Béralde. – Allez, Monsieur, on voit bien que vous n'avez
pas accoutumé[1] de parler à des visages.

M. Fleurant. – On ne doit point ainsi se jouer des remèdes,
15 et me faire perdre mon temps. Je ne suis venu ici que sur

---

1. **Vous n'avez pas accoutumé**: vous n'avez pas l'habitude.

une bonne ordonnance, et je vais dire à M. Purgon comme on m'a empêché d'exécuter ses ordres et de faire ma fonction. Vous verrez, vous verrez…

ARGAN. – Mon frère, vous serez cause ici de quelque malheur.

20 **BÉRALDE**. – Le grand malheur de ne pas prendre un lavement que M. Purgon a ordonné. Encore un coup, mon frère, est-il possible qu'il n'y ait pas moyen de vous guérir de la maladie des médecins, et que vous vouliez être, toute votre vie, enseveli dans leurs remèdes ?

25 **ARGAN**. – Mon Dieu ! mon frère, vous en parlez comme un homme qui se porte bien ; mais, si vous étiez à ma place, vous changeriez bien de langage. Il est aisé de parler contre la médecine quand on est en pleine santé.

BÉRALDE. – Mais quel mal avez-vous ?

30 **ARGAN**. – Vous me feriez enrager. Je voudrais que vous l'eussiez mon mal, pour voir si vous jaseriez[1] tant. Ah ! voici M. Purgon.

_____

1. **Jaseriez** : parleriez à tort et à travers.

Scène 5

M. Purgon, Argan, Béralde, Toinette

M. Purgon. – Je viens d'apprendre là-bas, à la porte, de jolies nouvelles : qu'on se moque ici de mes ordonnances, et qu'on a fait refus de prendre le remède que j'avais prescrit.

Argan. – Monsieur, ce n'est pas…

5 **M. Purgon.** – Voilà une hardiesse bien grande, une étrange rébellion d'un malade contre son médecin.

Toinette. – Cela est épouvantable.

M. Purgon. – Un clystère que j'avais pris plaisir à composer moi-même.

10 **Argan.** – Ce n'est pas moi…

M. Purgon. – Inventé et formé dans toutes les règles de l'art.

Toinette. – Il a tort.

M. Purgon. – Et qui devait faire dans des entrailles un effet merveilleux.

15 **Argan.** – Mon frère…

M. Purgon. – Le renvoyer avec mépris !

Argan. – C'est lui…

M. Purgon. – C'est une action exorbitante[1].

Toinette. – Cela est vrai.

---

1. **Exorbitante** : intolérable.

20 **M. Purgon.** – Un attentat[1] énorme contre la médecine.

Argan. – Il est cause…

M. Purgon. – Un crime de lèse-Faculté[2], qui ne se peut assez punir.

Toinette. – Vous avez raison.

25 **M. Purgon.** – Je vous déclare que je romps commerce[3] avec vous.

Argan. – C'est mon frère…

M. Purgon. – Que je ne veux plus d'alliance avec vous.

Toinette. – Vous ferez bien.

30 **M. Purgon.** – Et que, pour finir toute liaison avec vous, voilà la donation que je faisais à mon neveu, en faveur du mariage.

Argan. – C'est mon frère qui a fait tout le mal.

M. Purgon. – Mépriser mon clystère !

35 **Argan.** – Faites-le venir, je m'en vais le prendre.

M. Purgon. – Je vous aurais tiré d'affaire avant qu'il fût peu.

Toinette. – Il ne le mérite pas.

M. Purgon. – J'allais nettoyer votre corps et en évacuer entièrement les mauvaises humeurs.

40 **Argan.** – Ah, mon frère !

---

1. Attentat : crime.
2. Crime de lèse-Faculté : expression inventée sur le modèle de « crime de lèse-Majesté », qui désigne le plus grave des crimes (jeu de mots).
3. Commerce : relation.

M. Purgon. – Et je ne voulais plus qu'une douzaine de médecines, pour vuider[1] le fond du sac.

Toinette. – Il est indigne de vos soins.

M. Purgon. – Mais puisque vous n'avez pas voulu guérir par mes mains…

45

Argan. – Ce n'est pas ma faute.

M. Purgon. – Puisque vous vous êtes soustrait de l'obéissance que l'on doit à son médecin…

Toinette. – Cela crie vengeance.

50 **M. Purgon.** – Puisque vous vous êtes déclaré rebelle aux remèdes que je vous ordonnais…

Argan. – Hé! point du tout.

M. Purgon. – J'ai à vous dire que je vous abandonne à votre mauvaise constitution, à l'intempérie de vos entrailles, à 55 la corruption de votre sang, à l'âcreté de votre bile et à la féculence[2] de vos humeurs.

Toinette. – C'est fort bien fait.

Argan. – Mon Dieu!

M. Purgon. – Et je veux qu'avant qu'il soit quatre jours 60 vous deveniez dans un état incurable[3].

Argan. – Ah! miséricorde!

---

1. Vuider: vider.
2. Corruption: décomposition, pourrissement; **âcreté**: amertume, irritation; **féculence**: impureté.
3. Incurable: inguérissable.

M. Purgon. – Que vous tombiez dans la bradypepsie[1].

Argan. – M. Purgon !

M. Purgon. – De la bradypepsie dans la dyspepsie[2].

65 **Argan**. – M. Purgon !

M. Purgon. – De la dyspepsie dans l'apepsie[3].

Argan. – M. Purgon !

M. Purgon. – De l'apepsie dans la lienterie[4]…

Argan. – M. Purgon !

70 **M. Purgon**. – De la lienterie dans la dysenterie[5]…

Argan. – M. Purgon !

M. Purgon. – De la dysenterie dans l'hydropisie[6]…

Argan. – M. Purgon !

M. Purgon. – Et de l'hydropisie dans la privation de la vie,
75 où vous aura conduit votre folie.

---

1. **Bradypepsie** : lenteur de digestion.
2. **Dyspepsie** : difficulté de digestion.
3. **Apepsie** : impossibilité de digérer.
4. **Lienterie** : diarrhée.
5. **Dysenterie** : forme grave et parfois mortelle de diarrhée infectieuse.
6. **Hydropisie** : grave enflure du corps causée par une accumulation d'eau.

Scène 6

ARGAN, BÉRALDE

ARGAN. – Ah, mon Dieu! je suis mort. Mon frère, vous m'avez perdu.

BÉRALDE. – Quoi? qu'y a-t-il?

ARGAN. – Je n'en puis plus. Je sens déjà que la médecine
5 se venge.

BÉRALDE. – Ma foi! mon frère, vous êtes fou, et je ne voudrais pas, pour beaucoup de choses[1], qu'on vous vît faire ce que vous faites. Tâtez-vous un peu, je vous prie, revenez à vous-même, et ne donnez point tant[2] à votre imagination.

10 **ARGAN.** – Vous voyez, mon frère, les étranges maladies dont il m'a menacé.

BÉRALDE. – Le simple[3] homme que vous êtes!

ARGAN. – Il dit que je deviendrai incurable avant qu'il soit quatre jours.

15 **BÉRALDE.** – Et ce qu'il dit, que fait-il à la chose? Est-ce un oracle[4] qui a parlé? Il semble, à vous entendre, que M. Purgon tienne dans ses mains le filet de vos jours[5], et que, d'autorité suprême, il vous l'allonge et vous le raccourcisse comme

---

1. Pour beaucoup de choses: pour rien au monde.
2. Tant: tant de pouvoir.
3. Simple: crédule, naïf.
4. Oracle: personne capable de deviner l'avenir, devin.
5. Le filet de vos jours: allusion aux trois Parques; dans la mythologie romaine, ces divinités du destin filent, déroulent puis coupent le fil de la vie des hommes.

il lui plaît. Songez que les principes[1] de votre vie sont en
20 vous-même, et que le courroux de M. Purgon est aussi peu
capable de vous faire mourir que ses remèdes de vous faire
vivre. Voici une aventure, si vous voulez, à vous défaire[2] des
médecins, ou, si vous êtes né à ne pouvoir vous en passer,
il est aisé d'en avoir un autre, avec lequel, mon frère, vous
25 puissiez courir un peu moins de risque.

ARGAN. – Ah! mon frère, il sait tout mon tempérament et
la manière dont il faut me gouverner.

BÉRALDE. – Il faut vous avouer que vous êtes un homme
d'une grande prévention, et que vous voyez les choses avec
30 d'étranges yeux.

Scène 7

TOINETTE, ARGAN, BÉRALDE

TOINETTE. – Monsieur, voilà un médecin qui demande à
vous voir.

ARGAN. – Et quel médecin?

TOINETTE. – Un médecin de la médecine.

5 ARGAN. – Je te demande qui il est?

---

1. Principes: sources, énergies.
2. À vous défaire: propre à vous débarrasser.

TOINETTE. – Je ne le connais pas; mais il me ressemble comme deux gouttes d'eau, et si je n'étais sûre que ma mère était honnête femme, je dirais que ce serait quelque petit frère qu'elle m'aurait donné depuis le trépas[1] de mon père.

10 **ARGAN.** – Fais-le venir.

BÉRALDE. – Vous êtes servi à souhait: un médecin vous quitte, un autre se présente.

ARGAN. – J'ai bien peur que vous ne soyez cause de quelque malheur.

15 **BÉRALDE.** – Encore! vous en revenez toujours là?

ARGAN. – Voyez-vous? j'ai sur le cœur toutes ces maladies-là que je ne connais point, ces…

Scène 8

TOINETTE, *en médecin,* **ARGAN, BÉRALDE**

TOINETTE. – Monsieur, agréez[2] que je vienne vous rendre visite et vous offrir mes petits services pour toutes les saignées et les purgations dont vous aurez besoin.

ARGAN. – Monsieur, je vous suis fort obligé. Par ma foi!
5 voilà Toinette elle-même.

---

1. **Trépas**: décès.
2. **Agréez**: acceptez.

TOINETTE. – Monsieur, je vous prie de m'excuser, j'ai oublié de donner une commission à mon valet; je reviens tout à l'heure.

ARGAN. – Eh! ne diriez-vous pas que c'est effectivement
10 Toinette?

BÉRALDE. – Il est vrai que la ressemblance est tout à fait grande. Mais ce n'est pas la première fois qu'on a vu de ces sortes de choses, et les histoires ne sont pleines que de ces jeux de la nature.

15 **ARGAN.** – Pour moi, j'en suis surpris, et…

Scène 9

TOINETTE, ARGAN, BÉRALDE

TOINETTE *quitte son habit de médecin si promptement qu'il est difficile de croire que ce soit elle qui a paru en médecin.* – Que voulez-vous, Monsieur?

ARGAN. – Comment?

5 **TOINETTE.** – Ne m'avez-vous pas appelée?

ARGAN. – Moi? non.

TOINETTE. – Il faut donc que les oreilles m'aient corné[1].

_____

1. **Corné**: sifflé.

ARGAN. – Demeure un peu ici pour voir comme ce médecin te ressemble.

10 **TOINETTE**, *en sortant, dit.* – Oui, vraiment, j'ai affaire là-bas, et je l'ai assez vu.

ARGAN. – Si je ne les voyais tous deux, je croirais que ce n'est qu'un.

BÉRALDE. – J'ai lu des choses surprenantes de[1] ces sortes

15 de ressemblances, et nous en avons vu de notre temps où tout le monde s'est trompé.

ARGAN. – Pour moi, j'aurais été trompé à celle-là, et j'aurais juré que c'est la même personne.

Scène 10

TOINETTE, *en médecin*, **ARGAN**, **BÉRALDE**

TOINETTE. – Monsieur, je vous demande pardon de tout mon cœur.

ARGAN. – Cela est admirable !

TOINETTE. – Vous ne trouverez pas mauvais, s'il vous plaît,

5 la curiosité que j'ai eue de voir un illustre malade comme vous êtes ; et votre réputation, qui s'étend partout, peut excuser la liberté que j'ai prise.

---

1. **De** : au sujet de.

ARGAN. – Monsieur, je suis votre serviteur.

TOINETTE. – Je vois, Monsieur, que vous me regardez fixe-
10   ment. Quel âge croyez-vous bien que j'aie ?

ARGAN. – Je crois que tout au plus vous pouvez avoir vingt-
six ou vingt-sept ans.

TOINETTE. – Ah, ah, ah, ah, ah ! j'en ai quatre-vingt-dix.

ARGAN. – Quatre-vingt-dix ?

15   TOINETTE. – Oui. Vous voyez un effet des secrets de mon
art, de me conserver ainsi frais et vigoureux.

ARGAN. – Par ma foi ! voilà un beau jeune vieillard pour
quatre-vingt-dix ans.

TOINETTE. – Je suis médecin passager[1], qui vais de ville en
20   ville, de province en province, de royaume en royaume, pour
chercher d'illustres matières à ma capacité[2], pour trouver
des malades dignes de m'occuper, capables d'exercer les
grands et beaux secrets que j'ai trouvés dans la médecine.
Je dédaigne de m'amuser à ce menu fatras[3] de maladies
25   ordinaires, à ces bagatelles de rhumatismes et défluxions, à
ces fiévrottes, à ces vapeurs[4], et à ces migraines. Je veux des
maladies d'importance : de bonnes fièvres continues avec
des transports au cerveau, de bonnes fièvres pourprées[5], de
bonnes pestes, de bonnes hydropisies formées, de bonnes

---

1. **Passager** : itinérant.
2. **Matières à ma capacité** : patients à la hauteur de mes compétences.
3. **Menu fatras** : accumulation de choses sans valeur.
4. **Défluxions** : importants écoulements de liquides dans une partie du corps ; **fiévrottes** : petites fièvres ; **vapeurs** : étourdissements.
5. **Transports au cerveau** : crises de délire ; **fièvres pourprées** : fièvres accompagnées d'éruptions de boutons rouges.

30 pleurésies[1] avec des inflammations de poitrine : c'est là que je me plais, c'est là que je triomphe ; et je voudrais, Monsieur, que vous eussiez toutes les maladies que je viens de dire, que vous fussiez abandonné de tous les médecins, désespéré, à l'agonie, pour vous montrer l'excellence de
35 mes remèdes, et l'envie que j'aurais de vous rendre service.

ARGAN. – Je vous suis obligé, Monsieur, des bontés que vous avez pour moi.

TOINETTE. – Donnez-moi votre pouls. Allons donc, que l'on batte comme il faut. Ahy, je vous ferai bien aller comme vous
40 devez. Hoy, ce pouls-là fait l'impertinent : je vois bien que vous ne me connaissez pas encore. Qui est votre médecin ?

ARGAN. – M. Purgon.

TOINETTE. – Cet homme-là n'est point écrit sur mes tablettes[2] entre les grands médecins. De quoi dit-il que vous êtes
45 malade ?

ARGAN. – Il dit que c'est du foie, et d'autres disent que c'est de la rate.

TOINETTE. – Ce sont tous des ignorants : c'est du poumon que vous êtes malade.

50 ARGAN. – Du poumon ?

TOINETTE. – Oui. Que sentez-vous ?

ARGAN. – Je sens de temps en temps des douleurs de tête.

TOINETTE. – Justement, le poumon.

---

1. **Pleurésies** : inflammations du poumon.
2. **Mes tablettes** : mon répertoire de grands médecins.

ARGAN. – Il me semble parfois que j'ai un voile devant les
55 yeux.

TOINETTE. – Le poumon.

ARGAN. – J'ai quelquefois des maux de cœur.

TOINETTE. – Le poumon.

ARGAN. – Je sens parfois des lassitudes[1] par tous les membres.

60 TOINETTE. – Le poumon.

ARGAN. – Et quelquefois il me prend des douleurs dans le
ventre, comme si c'étaient des coliques.

TOINETTE. – Le poumon. Vous avez appétit à ce que vous
mangez?

65 ARGAN. – Oui, Monsieur.

TOINETTE. – Le poumon. Vous aimez à boire un peu de vin?

ARGAN. – Oui, Monsieur.

TOINETTE. – Le poumon. Il vous prend un petit sommeil
après le repas et vous êtes bien aise de dormir?

70 ARGAN. – Oui, Monsieur.

TOINETTE. – Le poumon, le poumon, vous dis-je. Que vous
ordonne votre médecin pour votre nourriture?

ARGAN. – Il m'ordonne du potage.

TOINETTE. – Ignorant.

75 ARGAN. – De la volaille.

---

1. **Lassitudes**: fatigues.

TOINETTE. – Ignorant.

ARGAN. – Du veau.

TOINETTE. – Ignorant.

ARGAN. – Des bouillons.

80 **TOINETTE.** – Ignorant.

ARGAN. – Des œufs frais.

TOINETTE. – Ignorant.

ARGAN. – Et le soir des petits pruneaux pour lâcher le ventre.

TOINETTE. – Ignorant.

85 **ARGAN.** – Et surtout de boire mon vin fort trempé[1].

TOINETTE. – *Ignorantus, ignoranta, ignorantum*[2]. Il faut boire votre vin pur ; et pour épaissir votre sang qui est trop subtil[3], il faut manger de bon gros bœuf, de bon gros porc, de bon fromage de Hollande, du gruau[4] et du riz, et des

90 marrons et des oublies, pour coller et conglutiner[5]. Votre médecin est une bête. Je veux vous en envoyer un de ma main[6], et je viendrai vous voir de temps en temps, tandis que je serai en cette ville.

ARGAN. – Vous m'obligez beaucoup.

---

1. Fort trempé : dilué avec de l'eau.
2. *Ignorantus, ignoranta, ignorantum* : déclinaison d'un adjectif latin inventé par Toinette à partir du mot « ignorant ».
3. Subtil : léger, fluide.
4. Gruau : bouillie à la farine d'avoine.
5. Oublies : petites gaufres en forme de cornets ; **conglutiner** : réunir par une substance visqueuse les éléments du sang.
6. De ma main : formé par moi.

95 TOINETTE. – Que diantre faites-vous de ce bras-là ?

ARGAN. – Comment ?

TOINETTE. – Voilà un bras que je me ferais couper tout à l'heure, si j'étais que de vous.

ARGAN. – Et pourquoi ?

100 TOINETTE. – Ne voyez-vous pas qu'il tire à soi toute la nourriture, et qu'il empêche ce côté-là de profiter ?

ARGAN. – Oui ; mais j'ai besoin de mon bras.

TOINETTE. – Vous avez là aussi un œil droit que je me ferais crever, si j'étais en votre place.

105 ARGAN. – Crever un œil ?

TOINETTE. – Ne voyez-vous pas qu'il incommode l'autre, et lui dérobe sa nourriture ? Croyez-moi, faites-vous-le crever au plus tôt, vous en verrez plus clair de l'œil gauche.

ARGAN. – Cela n'est pas pressé.

110 TOINETTE. – Adieu. Je suis fâché de vous quitter si tôt ; mais il faut que je me trouve à une grande consultation qui se doit faire pour un homme qui mourut hier.

ARGAN. – Pour un homme qui mourut hier ?

TOINETTE. – Oui, pour aviser, et voir ce qu'il aurait fallu lui
115 faire pour le guérir. Jusqu'au revoir.

ARGAN. – Vous savez que les malades ne reconduisent point[1].

BÉRALDE. – Voilà un médecin vraiment qui paraît fort habile.

---

1. **Ne reconduisent point** : ne raccompagnent pas leurs visiteurs jusqu'à la porte.

ARGAN. – Oui, mais il va un peu bien vite.

BÉRALDE. – Tous les grands médecins sont comme cela.

120 **ARGAN.** – Me couper un bras, et me crever un œil, afin que l'autre se porte mieux ? J'aime bien mieux qu'il ne se porte pas si bien. La belle opération, de me rendre borgne et manchot !

Scène 11
TOINETTE, ARGAN, BÉRALDE

TOINETTE. – Allons, allons, je suis votre servante, je n'ai pas envie de rire.

ARGAN. – Qu'est-ce que c'est ?

TOINETTE. – Votre médecin, ma foi ! qui me voulait tâter
5 le pouls.

ARGAN. – Voyez un peu, à l'âge de quatre-vingt-dix ans !

BÉRALDE. – Oh çà, mon frère, puisque voilà votre M. Purgon brouillé avec vous, ne voulez-vous pas bien que je vous parle du parti qui s'offre pour ma nièce ?

10 **ARGAN.** – Non, mon frère : je veux la mettre dans un couvent, puisqu'elle s'est opposée à mes volontés. Je vois bien qu'il y a quelque amourette là-dessous, et j'ai découvert certaine entrevue secrète, qu'on ne sait pas que j'aie découverte.

BÉRALDE. – Hé bien! mon frère, quand il y aurait quelque
15 petite inclination, cela serait-il si criminel, et rien peut-il
vous offenser, quand tout ne va[1] qu'à des choses honnêtes
comme le mariage?

ARGAN. – Quoi qu'il en soit, mon frère, elle sera religieuse,
c'est une chose résolue.

20 **BÉRALDE.** – Vous voulez faire plaisir à quelqu'un.

ARGAN. – Je vous entends: vous en revenez toujours là, et
ma femme vous tient au cœur.

BÉRALDE. – Hé bien! oui, mon frère, puisqu'il faut parler
à cœur ouvert, c'est votre femme que je veux dire; et non
25 plus que l'entêtement de la médecine, je ne puis vous souffrir l'entêtement où vous êtes pour elle, et voir que vous
donniez tête baissée dans tous les pièges qu'elle vous tend.

TOINETTE. – Ah! Monsieur, ne parlez point de Madame:
c'est une femme sur laquelle il n'y a rien à dire, une femme
30 sans artifice[2], et qui aime Monsieur, qui l'aime… on ne
peut pas dire cela.

ARGAN. – Demandez-lui un peu les caresses qu'elle me fait.

TOINETTE. – Cela est vrai.

ARGAN. – L'inquiétude que lui donne ma maladie.

35 **TOINETTE.** – Assurément.

ARGAN. – Et les soins et les peines qu'elle prend autour
de moi.

---

1. Va: mène.
2. Artifice: tromperie.

TOINETTE. – Il est certain. Voulez-vous que je vous convainque, et vous fasse voir tout à l'heure comme Madame aime Mon-
40 sieur ? Monsieur, souffrez que je lui montre son bec jaune[1], et le tire d'erreur.

ARGAN. – Comment ?

TOINETTE. – Madame va s'en revenir. Mettez-vous tout étendu dans cette chaise, et contrefaites le mort. Vous verrez la
45 douleur où elle sera, quand je lui dirai la nouvelle.

ARGAN. – Je le veux bien.

TOINETTE. – Oui ; mais ne la laissez pas longtemps dans le désespoir, car elle en pourrait bien mourir.

ARGAN. – Laisse-moi faire.

50 **TOINETTE,** *à Béralde.* – Cachez-vous, vous, dans ce coin-là.

ARGAN. – N'y a-t-il point quelque danger à contrefaire le mort ?

TOINETTE. – Non, non : quel danger y aurait-il ? Étendez-vous là seulement. *(Bas[2].)* Il y aura plaisir à confondre votre
55 frère[3]. Voici Madame. Tenez-vous bien.

---

1. **Que je lui montre son bec jaune** : que je lui prouve sa grossière erreur.
2. **Bas** : à voix basse.
3. **Confondre votre frère** : révéler son erreur à votre frère.

Scène 12

BÉLINE, TOINETTE, ARGAN, BÉRALDE

TOINETTE *s'écrie.* – Ah, mon Dieu! Ah, malheur! Quel étrange accident!

BÉLINE. – Qu'est-ce, Toinette?

TOINETTE. – Ah, Madame!

5 **BÉLINE.** – Qu'y a-t-il?

TOINETTE. – Votre mari est mort.

BÉLINE. – Mon mari est mort?

TOINETTE. – Hélas! oui. Le pauvre défunt est trépassé[1].

BÉLINE. – Assurément?

10 **TOINETTE.** – Assurément. Personne ne sait encore cet accident-là, et je me suis trouvée ici toute seule. Il vient de passer[2] entre mes bras. Tenez, le voilà tout de son long dans cette chaise.

BÉLINE. – Le Ciel en soit loué! Me voilà délivrée d'un grand
15 fardeau. Que tu es sotte, Toinette, de t'affliger de cette mort!

TOINETTE. – Je pensais, Madame, qu'il fallût pleurer.

BÉLINE. – Va, va, cela n'en vaut pas la peine. Quelle perte est-ce que la sienne? et de quoi servait-il sur la terre? Un homme incommode[3] à tout le monde, malpropre, dégoûtant,

---

1. **Défunt**: personne décédée; **trépassé**: mort.
2. **Passer**: mourir.
3. **Incommode**: gênant.

20 sans cesse un lavement ou une médecine dans le ventre, mouchant, toussant, crachant toujours, sans esprit, ennuyeux, de mauvaise humeur, fatiguant sans cesse les gens, et grondant jour et nuit servantes et valets.

TOINETTE. – Voilà une belle oraison funèbre[1].

25 **BÉLINE.** – Il faut, Toinette, que tu m'aides à exécuter mon dessein, et tu peux croire qu'en me servant ta récompense est sûre. Puisque, par un bonheur, personne n'est encore averti de la chose, portons-le dans son lit, et tenons cette mort cachée, jusqu'à ce que j'aie fait mon affaire. Il y a
30 des papiers, il y a de l'argent dont je me veux saisir, et il n'est pas juste que j'aie passé sans fruit[2] auprès de lui mes plus belles années. Viens, Toinette, prenons auparavant toutes ses clefs.

ARGAN, *se levant brusquement.* – Doucement.

35 **BÉLINE**, *surprise et épouvantée.* – Ahy!

ARGAN. – Oui, Madame ma femme, c'est ainsi que vous m'aimez?

TOINETTE. – Ah, ah! le défunt n'est pas mort.

ARGAN, *à Béline, qui sort.* – Je suis bien aise de voir votre
40 amitié[3], et d'avoir entendu le beau panégyrique[4] que vous avez fait de moi. Voilà un avis au lecteur[5] qui me rendra sage à l'avenir, et qui m'empêchera de faire bien des choses.

---

1. Oraison funèbre : discours prononcé lors d'un enterrement afin de faire l'éloge du défunt (ironique).
2. Sans fruit : sans bénéfice.
3. Amitié : affection, amour.
4. Panégyrique : discours de louanges (ironique).
5. Avis au lecteur : avertissement utile.

BÉRALDE, *sortant de l'endroit où il était caché.* – Hé bien ! mon frère, vous le voyez.

45 **TOINETTE.** – Par ma foi ! je n'aurais jamais cru cela. Mais j'entends votre fille : remettez-vous comme vous étiez, et voyons de quelle manière elle recevra[1] votre mort. C'est une chose qu'il n'est pas mauvais d'éprouver ; et puisque vous êtes en train, vous connaîtrez par là les sentiments 50 que votre famille a pour vous.

Scène 13

ANGÉLIQUE, ARGAN, TOINETTE, BÉRALDE

TOINETTE *s'écrie.* – Ô Ciel ! ah, fâcheuse aventure ! Malheureuse journée !

ANGÉLIQUE. – Qu'as-tu, Toinette, et de quoi pleures-tu ?

TOINETTE. – Hélas ! j'ai de tristes nouvelles à vous donner.

5 **ANGÉLIQUE.** – Hé quoi ?

TOINETTE. – Votre père est mort.

ANGÉLIQUE. – Mon père est mort, Toinette ?

TOINETTE. – Oui ; vous le voyez là. Il vient de mourir tout à l'heure d'une faiblesse qui lui a pris.

---

1. Recevra : réagira à l'annonce de.

10 **ANGÉLIQUE.** – Ô Ciel! quelle infortune[1]! quelle atteinte cruelle! Hélas! faut-il que je perde mon père, la seule chose qui me restait au monde? et qu'encore, pour un surcroît de désespoir, je le perde dans un moment où il était irrité[2] contre moi? Que deviendrai-je, malheureuse, 15 et quelle consolation trouver après une si grande perte?

Scène 14

CLÉANTE, ANGÉLIQUE, ARGAN, TOINETTE, BÉRALDE

CLÉANTE. – Qu'avez-vous donc, belle Angélique? et quel malheur pleurez-vous?

ANGÉLIQUE. – Hélas! je pleure tout ce que dans la vie je pouvais perdre de plus cher et de plus précieux: je pleure 5 la mort de mon père.

CLÉANTE. – Ô Ciel! quel accident! quel coup inopiné! Hélas! après la demande que j'avais conjuré[3] votre oncle de lui faire pour moi, je venais me présenter à lui, et tâcher par mes respects et par mes prières de disposer son cœur à 10 vous accorder à mes vœux.

ANGÉLIQUE. – Ah! Cléante, ne parlons plus de rien. Laissons là toutes les pensées du mariage. Après la perte de mon

---

1. **Infortune**: grand malheur.
2. **Irrité**: fâché.
3. **Conjuré**: supplié.

père, je ne veux plus être du monde[1], et j'y renonce pour jamais. Oui, mon père, si j'ai résisté tantôt à vos volontés, je
15 veux suivre du moins une de vos intentions, et réparer par là le chagrin que je m'accuse de vous avoir donné. Souffrez, mon père, que je vous en donne ici ma parole, et que je vous embrasse pour vous témoigner mon ressentiment[2].

ARGAN *se lève.* – Ah, ma fille !

20 **ANGÉLIQUE,** *épouvantée.* – Ahy !

ARGAN. – Viens. N'aie point de peur, je ne suis pas mort. Va, tu es mon vrai sang, ma véritable fille ; et je suis ravi d'avoir vu ton bon naturel.

ANGÉLIQUE. – Ah ! quelle surprise agréable, mon père ! Puisque
25 par un bonheur extrême le Ciel vous redonne à mes vœux, souffrez qu'ici je me jette à vos pieds pour vous supplier d'une chose. Si vous n'êtes pas favorable au penchant de mon cœur, si vous me refusez Cléante pour époux, je vous conjure au moins de ne me point forcer d'en épouser un
30 autre. C'est toute la grâce que je vous demande.

CLÉANTE *se jette à genoux.* – Eh ! Monsieur, laissez-vous toucher à ses prières et aux miennes, et ne vous montrez point contraire aux mutuels empressements d'une si belle inclination.

35 **BÉRALDE.** – Mon frère, pouvez-vous tenir là contre[3] ?

TOINETTE. – Monsieur, serez-vous insensible à tant d'amour ?

---

1. **Être du monde** : vivre dans la société. Angélique songe à se retirer dans un couvent.
2. **Ressentiment** : ici, remords d'avoir contrarié son père.
3. **Tenir là contre** : résister à cela.

ARGAN. – Qu'il se fasse médecin, je consens au mariage. Oui, faites-vous médecin, je vous donne ma fille.

CLÉANTE. – Très volontiers, Monsieur : s'il ne tient qu'à cela
40 pour être votre gendre, je me ferai médecin, apothicaire même, si vous voulez. Ce n'est pas une affaire que cela, et je ferais bien d'autres choses pour obtenir la belle Angélique.

BÉRALDE. – Mais, mon frère, il me vient une pensée : faites-vous médecin vous-même. La commodité sera encore plus
45 grande, d'avoir en vous tout ce qu'il vous faut.

TOINETTE. – Cela est vrai. Voilà le vrai moyen de vous guérir bientôt : et il n'y a point de maladie si osée, que de se jouer à la personne d'un médecin[1].

ARGAN. – Je pense, mon frère, que vous vous moquez de
50 moi : est-ce que je suis en âge d'étudier ?

BÉRALDE. – Bon, étudier ! Vous êtes assez savant ; et il y en a beaucoup parmi eux qui ne sont pas plus habiles que vous.

ARGAN. – Mais il faut savoir bien parler latin, connaître les maladies, et les remèdes qu'il y faut faire.

55 **BÉRALDE**. – En recevant la robe et le bonnet de médecin[2], vous apprendrez tout cela, et vous serez après plus habile que vous ne voudrez.

ARGAN. – Quoi ? l'on sait discourir sur les maladies quand on a cet habit-là ?

———————

1. **Point de maladie si osée, que de se jouer à la personne d'un médecin** : pas de maladie qui oserait s'attaquer à un médecin lui-même.
2. L'uniforme des médecins était composé d'une sorte de toge (la « robe ») et d'un couvre-chef (le « bonnet »).

60 **BÉRALDE.** – Oui. L'on n'a qu'à parler avec une robe et un bonnet, tout galimatias devient savant, et toute sottise devient raison.

TOINETTE. – Tenez, Monsieur, quand il n'y aurait que votre barbe, c'est déjà beaucoup, et la barbe fait plus de la moitié 65 du médecin.

CLÉANTE. – En tout cas, je suis prêt à tout.

BÉRALDE. – Voulez-vous que l'affaire se fasse tout à l'heure ?

ARGAN. – Comment tout à l'heure ?

BÉRALDE. – Oui, et dans votre maison.

70 **ARGAN.** – Dans ma maison ?

BÉRALDE. – Oui. Je connais une Faculté de mes amies[1], qui viendra tout à l'heure en faire la cérémonie dans votre salle. Cela ne vous coûtera rien.

ARGAN. – Mais moi, que dire, que répondre ?

75 **BÉRALDE.** – On vous instruira en deux mots, et l'on vous donnera par écrit ce que vous devez dire. Allez-vous-en mettre un habit décent, je vais les envoyer quérir.

ARGAN. – Allons, voyons cela.

CLÉANTE. – Que voulez-vous dire, et qu'entendez-vous avec 80 cette Faculté de vos amies… ?

TOINETTE. – Quel est donc votre dessein ?

---

1. Une Faculté de mes amies : un membre de la Faculté de médecine compréhensif, arrangeant.

BÉRALDE. – De nous divertir un peu ce soir. Les comédiens ont fait un petit intermède de la réception d'un médecin[1], avec des danses et de la musique ; je veux que nous en prenions ensemble le divertissement, et que mon frère y fasse le premier personnage.

ANGÉLIQUE. – Mais mon oncle, il me semble que vous vous jouez[2] un peu beaucoup de mon père.

BÉRALDE. – Mais, ma nièce, ce n'est pas tant le jouer, que s'accommoder à ses fantaisies[3]. Tout ceci n'est qu'entre nous. Nous y pouvons aussi prendre chacun un personnage, et nous donner ainsi la comédie les uns aux autres. Le carnaval autorise cela. Allons vite préparer toutes choses.

CLÉANTE, à Angélique. – Y consentez-vous ?

ANGÉLIQUE. – Oui, puisque mon oncle nous conduit.

---

1. **Réception d'un médecin** : cérémonie au cours de laquelle un candidat recevait son diplôme de médecin.
2. **Vous vous jouez** : vous vous moquez.
3. **S'accommoder à ses fantaisies** : s'adapter, se conformer à ses caprices.

Troisième intermède

*C'est une cérémonie burlesque d'un homme
qu'on fait médecin en récit[1], chant et danse.*

ENTRÉE DE BALLET

*Plusieurs tapissiers[2] viennent préparer la salle et placer des bancs
en cadence; ensuite de quoi toute l'assemblée (composée de huit
porte-seringues, six apothicaires, vingt-deux docteurs, celui qui
se fait recevoir médecin, huit chirurgiens dansants, et deux
chantants) entre, et prend ses places, selon les rangs.*

PRAESES	**LE PRÉSIDENT**
Sçavantissimi doctores,	Très savants docteurs,
Medicinae professores,	Professeurs de médecine,
Qui hic assemblati estis,	Qui êtes ici rassemblés,
Et vos, altri Messiores,	Et vous, autres messieurs,
5 *Sententiarum Facultatis*	Des sentences[3] de la Faculté,
Fideles executores,	Fidèles exécuteurs,
Chirurgiani et apothicari,	Chirurgiens et apothicaires,
Atque tota compania aussi,	Et toute la compagnie aussi,
Salus, honor, et argentum,	Salut, honneur et argent,
10 *Atque bonum appetitum.*	Et aussi bon appétit.

---

1. En récit: sous la forme d'une partie parlée accompagnée de musique.
2. Tapissiers: décorateurs.
3. Sentences: décisions.

Non possum, docti Confreri,	Je ne peux, doctes confrères,
En moi satis admirari	En moi assez admirer
Qualis bona inventio	Quelle bonne invention
Est medici professio,	Est la profession de médecin ;

Quam bella chosa est,
  et bene trovata,
	Quelle belle chose
	  et bien trouvée

Medicina illa benedicta,	Que cette médecine bénie,
Quae suo nomine solo,	Qui par son seul nom,
Surprenanti miraculo,	Miracle surprenant,
Depuis si longo tempore,	Depuis si longtemps
Facit à gogo vivere	Fait vivre à gogo
Tant de gens omni genere.	Tant de gens de toutes sortes.

15 (ligne *Quam bella chosa est*)
20 (ligne *Facit à gogo vivere*)

Per totam terram videmus	Par toute la terre nous voyons,
Grandam vogam ubi sumus,	La grande vogue[1] où nous sommes,
Et quod grandes et petiti	Et que grands et petits
Sunt de nobis infatuti.	Sont de nous infatués[2].

Totus mundus, currens
  ad nostros remedios,
	Le monde entier, courant
	  vers nos remèdes

Nos regardat sicut Deos ;	Nous regarde comme des dieux ;
Et nostris ordonnanciis	Et à nos ordonnances

Principes et reges soumissos
  videtis.
	Vous voyez les princes
	  et les rois soumis.

25 (ligne *Sunt de nobis infatuti.*)

---

1. **Vogue** : popularité, réputation.
2. **Infatués** : entichés, obsédés.

30 *Donque il est nostrae sapientiae,*	Donc il est de notre sagesse,
Boni sensus atque prudentiae,	De notre bon sens et de notre prudence,
De fortement travaillare	De fortement travailler
A nos bene conservare	À nous bien conserver
In tali credito, voga, et honore,	En tel crédit, vogue et honneur,
35 *Et prandere gardam à non recevere*	Et de prendre garde à ne recevoir
In nostro docto corpore	Dans notre docte corporation
Quam personas capabiles,	Que des personnes capables,
Et totas dignas ramplire	Et entièrement dignes de remplir
Has plaças honorabiles.	Ces places honorables.
40 *C'est pour cela que nunc convocati estis :*	C'est pour cela que vous avez été aujourd'hui convoqués,
Et credo quod trovabitis	Et je crois que vous trouverez
Dignam matieram medici	Une digne matière de médecin
In sçavanti homine que voici,	Dans le savant homme que voici,
Lequel, in chosis omnibus,	Lequel, en toutes choses,
45 *Dono ad interrogandum,*	Je vous donne à interroger
Et à fond examinandum	Et à examiner à fond,
Vostris capacitatibus.	Selon vos capacités.

PRIMUS DOCTOR

Si mihi licenciam dat
  Dominus Praeses,
Et tanti docti Doctores,
50 *Et assistantes illustres,*
Très sçavanti Bacheliero,
Quem estimo et honoro,
Domandabo causam
  et rationem quare
Opium facit dormire.

PREMIER DOCTEUR

Si M. le Président
  m'en donne la permission,
Et tant de doctes docteurs,
Et tant d'illustres assistants,
Au très savant bachelier[1],
Que j'estime et j'honore,
Je demanderai la cause et
  la raison pour lesquelles
L'opium[2] fait dormir.

BACHELIERUS

55 *Mihi a docto Doctore*
Domandatur causam
  et rationem quare
Opium facit dormire :
À quoi respondeo,
Quia est in eo
60 *Virtus dormitiva,*
Cujus est natura
Sensus assoupire.

LE BACHELIER

Le docte docteur
Me demande la cause et
  la raison pour lesquelles
L'opium fait dormir.
À quoi je réponds,
Parce qu'il y a en lui
Une vertu dormitive
Dont la nature
Est d'assoupir les sens.

CHORUS

Bene, bene, bene,
  bene respondere :
Dignus, dignus est entrare
65 *In nostro docto corpore.*

LE CHŒUR

Bien, bien, bien, bien
  répondu.
Digne, il est digne d'entrer
Dans notre corporation.

---

1. Bachelier : étudiant.
2. Opium : substance tirée d'une plante, le pavot, et utilisée en médecine pour ses vertus calmantes.

SECUNDUS DOCTOR

Cum permissione Domini
  Praesidis,
Doctissimae Facultatis,
Et totius his nostris actis
Companiae assistantis,
70 *Domandabo tibi,*
  docte Bacheliere,
Quae sunt remedia
Quae in maladia
Ditte hydropisia
Convenit facere.

SECOND DOCTEUR

Avec la permission
  de M. le Président,
De la très docte Faculté,
Et de toute la compagnie
Qui assiste à nos travaux,
Je te demanderai,
  docte bachelier,
Quels sont les remèdes
Que dans la maladie
Dite hydropisie,
Il convient d'administrer.

BACHELIERUS

75 *Clysterium donare,*
Postea seignare,
Ensuitta purgare.

LE BACHELIER

Clystère donner,
Puis saigner,
Ensuite purger[1].

CHORUS

Bene, bene, bene,
  bene respondere:
Dignus, dignus est entrare
80 *In nostro docto corpore.*

LE CHŒUR

Bien, bien, bien,
  bien répondu.
Digne, il est digne d'entrer
Dans notre corporation.

TERTIUS DOCTOR

Si bonum semblatur
  Domini Praesidi,
Doctissimae Facultati
Et companiae praesenti,

TROISIÈME DOCTEUR

S'il semble bon
  à M. le Président,
De la très docte Faculté,
Et à la compagnie ici
  présente,

---

1. **Purger** : nettoyer, purifier.

Domandabo tibi,	Je te demanderai,
docte Bacheliere,	docte bachelier,
85 *Quae remedia eticis,*	Quels remèdes aux étiques[1],
Pulmonicis,	Aux poumoniques
atque asmaticis,	et aux asthmatiques,
Trovas à propos facere.	Tu trouves à propos de
	donner.

BACHELIERUS

LE BACHELIER

Clysterium donare,	Clystère donner,
Postea seignare,	Puis saigner,
90 *Ensuitta purgare.*	Ensuite purger.

CHORUS

LE CHŒUR

Bene, bene, bene,	Bien, bien, bien,
bene respondere:	bien répondu.
Dignus, dignus est entrare	Digne, il est digne d'entrer
In nostro docto corpore.	Dans notre corporation.

QUARTUS DOCTOR

QUATRIÈME DOCTEUR

Super illas maladias	Sur ces maladies
95 *Doctus Bachelierus*	Le docte bachelier
dixit maravillas	a dit des merveilles ;
Mais si non ennuyo	Mais si je n'ennuie pas
Dominum Praesidem,	M. le Président,
Doctissimam Facultatem,	La très docte Faculté,
Et totam honorabilem	Et toute l'honorable
Companian ecoutantem,	Compagnie qui nous
	écoute,

---

1. Étiques : malades excessivement maigres, squelettiques.

100 *Faciam illi unam*　　　　　Je lui poserai une seule
　　quaestionem.　　　　　　　question :
De hiero maladus unus　　　Hier un malade
Tombavit in meas manus :　Tomba dans mes mains,
Habet grandam fievram　　　Il avait une grande fièvre
　　cum redoublamentis,　　　avec des redoublements,
Grandam dolorem capitis,　Un grand mal de tête,
105 *Et grandum malum au costé,* Et un grand mal au côté,
Cum granda difficultate　　Avec grande difficulté
Et pena de respirare :　　　Et peine à respirer.
Veillas mihi dire,　　　　　Veux-tu me dire
Docte Bacheliere,　　　　　Docte bachelier,
110 *Quid illi facere ?*　　　　　Que faire pour lui ?

　　　　BACHELIERUS　　　　　　　　**LE BACHELIER**
Clysterium donare,　　　　　Clystère donner,
Postea seignare,　　　　　　Puis saigner,
Ensuitta purgare.　　　　　Ensuite purger.

　　　　QUINTUS DOCTOR　　　　　**CINQUIÈME DOCTEUR**
Mais si maladia　　　　　　　Mais si la maladie
115 *Opiniatria*　　　　　　　　　Opiniâtre[1]
Non vult se garire,　　　　Ne veut pas se guérir,
Quid illi facere ?　　　　　Que faire pour lui ?

　　　　BACHELIERUS　　　　　　　　**LE BACHELIER**
Clysterium donare,　　　　　Clystère donner,
Postea seignare,　　　　　　Puis saigner,
120 *Ensuitta purgare.*　　　　　Ensuite purger.

---

1. Opiniâtre : tenace, persistante.

Chorus	**Le chœur**
Bene, bene, bene,	Bien, bien, bien,
bene respondere :	bien répondu.
Dignus, dignus est entrare	Digne, il est digne d'entrer
In nostro docto corpore.	Dans notre corporation.

Praeses	**Le Président**
Juras gardare statuta	Jures-tu de respecter
	les statuts
125 *Per Facultatem praescripta*	Prescrits par la Faculté,
Cum sensu et jugeamento ?	Avec bon sens et jugement ?

Bachelierus	**Le bachelier**
Juro.	Je le jure.

Praeses	**Le Président**
Essere, in omnibus	D'être dans toutes
Consultationibus,	Les consultations
130 *Ancieni aviso,*	De l'avis des Anciens,
Aut bono,	Qu'il soit bon,
Aut mauvaiso ?	Ou qu'il soit mauvais ?

Bachelierus	**Le bachelier**
Juro.	Je le jure.

Praeses	**Le Président**
De non jamais te servire	De ne jamais te servir
135 *De remediis aucunis*	D'aucun remède
Quam de ceux seulement	Que de ceux seulement
doctae Facultatis,	de la docte Faculté,
Maladus dust-il crevare,	Le malade dut-il crever,
Et mori de suo malo ?	Et mourir de son mal ?

BACHELIERUS	**LE BACHELIER**
Juro.	Je le jure.

PRAESES	**LE PRÉSIDENT**
140 *Ego, cum isto boneto*	Moi, avec ce bonnet
Venerabili et docto,	Vénérable et savant,
Dono tibi et concedo	Je te donne et concède
Virtutem et puissanciam	La vertu et la puissance
Medicandi,	De médiciner,
145 *Purgandi,*	De purger,
Seignandi,	De saigner,
Perçandi,	De percer,
Taillandi,	De tailler,
Coupandi.	De couper,
150 *Et occidendi*	Et de tuer
Impune per totam terram.	Impunément par toute la terre.

ENTRÉE DE BALLET

Tous les Chirurgiens et Apothicaires viennent lui faire la révérence en cadence.

BACHELIERUS	**LE BACHELIER**
Grandes doctores doctrinae	Grands docteurs de la Doctrine,
De la rhubarbe et du séné,	De la rhubarbe et du séné,
Ce serait sans douta à moi chosa folla,	Ce serait sans doute pour moi chose folle,
155 *Inepta et ridícula,*	Inepte[1] et ridicule,

---

1. **Inepte**: stupide.

Si j'alloibam m'engageare	Si j'allais m'engager
Vobis louangeas donare,	À vous donner des louanges,
Et entreprenoibam adjoutare	Et si j'entreprenais d'ajouter
Des lumieras au soleillo,	Des lumières au soleil,
160 *Et des étoilas au cielo,*	Des étoiles au ciel,
Des ondas à l'Oceano,	Des ondes à l'Océan,
Et des rosas au printanno.	Et des roses au printemps.
Agreate qu'avec uno moto,	Agréez qu'avec un seul mot,
Pro toto remercimento,	Pour tout remerciement,
165 *Rendam gratiam corpori*	Je rende grâce à un corps[1]
tam docto.	si docte.
Vobis, vobis debeo	À vous, à vous, je dois
Bien plus qu'à naturae	Bien plus qu'à la nature
et qu'à patri meo :	et à mon père.
Natura et pater meus	La nature et mon père
Hominem me habent factum ;	Ont fait de moi un homme ;
170 *Mais vos me,*	Mais vous, ce qui est
ce qui est bien plus,	bien plus,
Avetis factum medicum,	M'avez fait médecin.
Honor, favor, et gratia	Honneur faveur et grâce,
Qui, in hoc corde que voilà,	Qui, dans le cœur que voilà,
Imprimant ressentimenta	Impriment des sentiments
175 *Qui dureront in secula.*	Qui dureront pour des siècles.

<center>**Chorus**</center>	<center>**Le chœur**</center>
Vivat, vivat, vivat, vivat,	Vive, vive, vive, vive,
cent fois vivat,	cent fois vive,

---

1. **Corps** : ensemble des médecins.

Novus Doctor,	Le nouveau docteur
qui tam bene parlat!	qui parle si bien!
Mille, mille annis et manget	Pendant mille et mille ans,
et bibat,	qu'il mange et boive,
Et seignet et tuat!	Et qu'il saigne et qu'il tue!

ENTRÉE DE BALLET

Tous les Chirurgiens et les Apothicaires dansent au son des instruments et des voix, et des battements de mains, et des mortiers[1] d'apothicaires.

CHIRURGUS	LE CHIRURGIEN
180 *Puisse-t-il voir doctas*	Puisse-t-il voir
Suas ordonnancias	Ses doctes ordonnances,
Omnium chirurgorum	De tous les chirurgiens
Et apothiquarum	Et de tous les apothicaires
Remplire boutiquas!	Remplir les boutiques!

CHORUS	LE CHŒUR
185 *Vivat, vivat, vivat, vivat,*	Vive, vive, vive, vive,
cent fois vivat,	cent fois vive,
Novus Doctor,	Le nouveau docteur
qui tam bene parlat!	qui parle si bien!
Mille, mille annis	Pendant mille et mille ans,
et manget et bibat,	qu'il mange et boive,
Et seignet et tuat!	Et qu'il saigne et qu'il tue!

---

1. Mortiers: récipients dans lesquels les apothicaires broyaient certaines substances.

CHIRURGUS	LE CHIRURGIEN
Puissent toti anni	Puissent toutes les années
Lui essere boni	Lui être bonnes
Et favorabiles,	Et favorables,
Et n'habere jamais	Et n'avoir jamais
Quam pestas, verolas	Que des pestes, des véroles[1],
Fievras, pluresias,	Des fièvres, des pleurésies,
Fluxus de sang,	Des flux de sang
et dyssenterias!	et des dysenteries!

190

195

CHORUS	LE CHŒUR
Vivat, vivat, vivat, vivat,	Vive, vive, vive, vive,
cent fois vivat,	cent fois vive,
Novus Doctor,	Le nouveau docteur
qui tam bene parlat!	qui parle si bien!
Mille, mille annis	Pendant mille et mille ans,
et manget et bibat,	qu'il mange et boive,
Et seignet et tuat!	Et qu'il saigne et qu'il tue!

DERNIÈRE ENTRÉE DE BALLET

---

1. **Véroles** : graves maladies qui couvrent la peau de pustules.

Arrêt
sur lecture 3

Un quiz pour commencer

Cochez les bonnes réponses.

1 *Pourquoi M. Purgon se fâche-t-il ?*
- ❏ Parce que Toinette parle en même temps que lui.
- ❏ Parce qu'il croit qu'Argan a refusé un de ses remèdes.
- ❏ Parce que Béralde veut lui faire avaler une de ses potions.

2 *Pourquoi Toinette se déguise-t-elle en médecin ?*
- ❏ Pour se donner de l'importance.
- ❏ Pour faire rire Béralde.
- ❏ Pour dégoûter Argan des médecins et faire annuler le mariage d'Angélique.

3 *Comment Argan apprend-il les sentiments de ses proches à son égard ?*
- ❏ En feignant d'être mort.
- ❏ En écoutant aux portes.
- ❏ En envoyant Louison comme espionne.

4 *Comment Béline réagit-elle à l'annonce de la mort d'Argan ?*

☐ Elle pleure la perte de son époux.

☐ Elle cherche à s'approprier l'argent de son époux.

☐ Elle envisage d'épouser le notaire.

5 *Comment Angélique réagit-elle à l'annonce de la mort de son père ?*

☐ Elle décide d'épouser Cléante.

☐ Elle est désespérée et veut renoncer à l'amour.

☐ Elle demande à Béralde de l'adopter.

6 *À la fin de la pièce, que suggère Béralde à Argan ?*

☐ D'épouser Toinette.

☐ D'aller danser.

☐ De devenir médecin.

Des questions pour aller plus loin

→ *Étudier le dénouement de la pièce*

Béralde et Argan : raison contre déraison

1 Dans la tirade de Béralde contre la médecine (scène 3, l. 128-144), relevez les mots formant les champs lexicaux de l'erreur et de l'imaginaire. À quel vocabulaire Béralde les oppose-t-il ?

2 Recopiez le tableau de la page suivante et complétez-le. Quelle est la stratégie de Béralde et pourquoi ne peut-elle pas convaincre Argan ?

Questions de Béralde	Réactions logiquement attendues	Réactions réelles d'Argan
«Mais le mari qu'elle doit prendre doit-il être, mon frère, ou pour elle, ou pour vous?» (scène 3, l. 38-39)		
«Et ce qu'il dit, que fait-il à la chose? Est-ce un oracle qui a parlé?» (scène 6, l. 15-16)		

3 Selon Argan, la médecine est «une chose établie par tout le monde» (p. 128, l. 66-67) et «tout le monde a recours aux médecins» (p. 129, l. 94): ces arguments sont-ils convaincants? Pourquoi?

La médecine discréditée

4 Relisez les lignes 73 à 151 de la scène 3 puis dressez la liste des critiques que Béralde formule envers les médecins. Relevez une citation précise pour chacune d'elles.

5 Dans la scène 5, relevez les expressions par lesquelles M. Purgon qualifie le refus du clystère puis caractérisez son attitude à la fin de la scène. Quel est l'effet produit?

6 (Lecture d'images) En quoi l'intermède final ridiculise-t-il les médecins? Les photographies reproduites page I du cahier photos représentent cet intermède: quels aspects de ce passage mettent-elles en évidence? Quelles libertés les metteurs en scène ont-ils prises par rapport au texte?

Zoom sur la scène 10 (p. 144-150)

7 Quels moyens Toinette utilise-t-elle pour caricaturer les médecins (costume, ton, vocabulaire, gestes)?

8 Dans les lignes 48 à 72, en quoi le dialogue est-il amusant et absurde?

9 À la fin de la scène, pourquoi Toinette recommande-t-elle des solutions extrêmes ? En quoi la réaction d'Argan est-elle nouvelle ?

10 (Lecture d'images) Trouvez deux adjectifs qualifiant l'attitude de Toinette sur la photographie de couverture et sur celle reproduite page III du cahier photos, en haut. Laquelle de ces mises en scène vous semble la plus fidèle à l'atmosphère de la pièce de Molière ?

Tout est bien qui finit bien

11 Quel coup de théâtre provoqué par un quiproquo et quelle scène de révélation mènent au dénouement ?

12 Montrez que la pièce réserve une fin heureuse pour les principaux personnages.

13 Béralde entretient Argan dans son illusion (scène 14). Pourquoi, cependant, ne ternit-il pas en cela l'heureuse fin de la pièce ? Retrouvez dans les dernières lignes de la pièce la phrase par laquelle il se justifie.

14 Selon vous, Argan a-t-il appris de ses erreurs au cours de la pièce ? Justifiez votre réponse.

✔ *Rappelez-vous !*

• Le **dénouement** est le moment de la pièce où l'intrigue se résout. Dans *Le Malade imaginaire*, il est amené à la fois par le hasard (quiproquo entre Argan et M. Purgon causant une brouille) et par la ruse (mise en scène de la mort d'Argan par Toinette).

• **Le dénouement d'une comédie est souvent heureux.** Cléante et Angélique vont se marier. Argan, lui, est tiré de ses illusions sur son épouse ; même s'il est toujours obsédé par la médecine, la proposition de Béralde lui permet de s'affranchir du pouvoir des médecins.

De la lecture à l'écriture

 Des mots pour mieux écrire

1 a. *Dans l'acte III, le verbe «jouer» est employé dans différents sens. Reliez chacune des phrases suivantes au sens correspondant.*

«On ne doit point ainsi <u>se jouer</u> des remèdes» (p. 134, l. 14)   •   •   Tromper par une ruse

«Je le trouve bien plaisant d'aller <u>jouer</u> d'honnêtes gens comme les médecins» (p. 132, l. 164-165)   •   •   Ne pas prendre au sérieux

«J'ai résolu de <u>jouer</u> un tour de ma tête» (p. 124, l. 10-11)   •   •   Se moquer

«Il me semble que vous <u>vous jouez</u> un peu beaucoup de mon père» (p. 160, l. 87-88)   •   •   Mettre en scène

b. *À l'aide d'un dictionnaire, trouvez deux autres sens du verbe «jouer».*

2 *Recopiez le tableau suivant et complétez-le.*

Adjectif	Nom commun correspondant	Personnage de la pièce qu'il peut caractériser
naïf		
hypocrite		
cupide		
furieux		
lucide		
coupable		

☞ À vous d'écrire

1 Pensant qu'il est devenu médecin, Argan donne une consultation à l'un de ses proches. Imaginez cette scène.

Consigne. Rédigez une vingtaine de répliques en respectant la présentation d'une scène de théâtre : pensez notamment à écrire des didascalies qui indiqueront les gestes du médecin Argan. Appuyez-vous sur le vocabulaire médical employé dans la scène 1 de l'acte I (p. 21-24) et sur le lexique de la médecine (p. 184).

2 Dans la scène 12, Argan découvre brutalement que Béline n'est pas la femme qu'il croyait. Vous est-il déjà arrivé de vous sentir trahi(e) par quelqu'un ?

Consigne. Vous raconterez cette expérience en une quinzaine de lignes. Écrivez à la première personne et aux temps du passé. Vous organiserez votre texte à l'aide de paragraphes marquant les étapes du récit. Utilisez les adjectifs de l'exercice 2.

Du texte à l'image

Thomas Diafoirus (A. Mettler), Argan (J.-Cl. Dreyfus) et M. Diafoirus (J. Terensier) dans la mise en scène de François Bourcier, théâtre Silvia Monfort, Paris, 1999.
Béralde (P. Vion), Argan (R. de Manoël) et M. Fleurant (R. Delestre) dans la mise en scène de Colette Roumanoff, théâtre Fontaine, Paris, 2006.
M. Purgon (Ch. Bouillette) et Argan (M. Bouquet) dans la mise en scène de Georges Werler, théâtre de la Porte Saint-Martin, Paris, 2008.
➡ **Images reproduites dans le cahier photos, p. II et III.**

👁 *Lire l'image*

1 Comparez les trois photographies : quels points communs et quelles différences observez-vous dans le placement des personnages, leurs costumes et leur attitude ?

2 Montrez que, sur ces trois photographies, les médecins ont une posture dominante sur leur patient. En quoi est-ce étonnant ?

📄 *Comparer le texte et l'image*

3 À quel passage de l'acte II la photographie du haut de la page II peut-elle correspondre ? Quel moment de l'acte III la photographie du bas de la page III peut-elle représenter ?

4 Quelles critiques formulées dans la pièce envers les médecins ces photographies peuvent-elles illustrer ?

✏ *À vous de créer*

5 **B2i** Vous êtes metteur en scène. À l'aide d'un logiciel de traitement de texte, rédigez une note d'intention de mise en scène expliquant quels costumes, quels décors et quels accessoires vous prévoyez pour représenter *Le Malade imaginaire* : évoqueront-ils le XVIIe siècle ou seront-ils modernes ? Vous pouvez accompagner votre texte de croquis que vous numériserez à l'aide d'un scanner.

Arrêt sur l'œuvre

Des questions sur l'ensemble de la pièce

Une pièce comique

1 Recopiez le tableau suivant et complétez-le afin de récapituler les différents types de comique rencontrés dans la pièce.

Types de comique	Exemple tiré de la pièce
Comique de mots	
Comique de caractère	
Comique de gestes	
Comique de situation	
Comique de répétition	

2 Selon vous, la pièce a-t-elle seulement pour but d'amuser le spectateur ?

La satire de la médecine et des médecins

3 Recopiez le tableau suivant et complétez-le en reformulant chacun des faits reprochés aux médecins.

Citations tirées de la pièce	Critiques envers les médecins
«Ce M. Fleurant-là et ce M. Purgon s'égayent bien sur votre corps; ils ont en vous une bonne vache à lait» (p. 26-27, l. 45-47).	
«Jamais il n'a voulu comprendre ni écouter les raisons et les expériences des prétendues découvertes de notre siècle» (p. 88, l. 130-131).	
THOMAS. – «Ce qui marque une intempérie dans le *parenchyme splénique*, c'est-à-dire la rate. [...] ARGAN. – Non: M. Purgon dit que c'est mon foie qui est malade.» (p. 102-104, l. 145-149)	
«Ils [...] savent parler en beau latin, savent nommer en grec toutes les maladies, les définir et les diviser; mais, pour ce qui est de les guérir, c'est ce qu'ils ne savent point du tout.» (p. 128, l. 80-84)	
«Il faut qu'il ait tué bien des gens, pour s'être fait si riche.» (p. 37, l. 116-117) «C'est de la meilleure foi du monde qu'il vous expédiera» (p. 130, l. 111-112).	

4 (Lecture d'images) Observez les quatre dessins reproduits à la page IV du cahier photos. Quel défaut des médecins dénoncé par la pièce chacun d'eux met-il en évidence?

5 (Lecture d'image) Identifiez l'objet tenu par le médecin de droite sur le dessin d'Honoré Daumier. Pourquoi sa dimension fait-elle de ce croquis une caricature? En quoi cette image fait-elle particulièrement écho à certains passages de la pièce?

La mise en scène des qualités et des défauts humains

6 Récapitulez les différents défauts d'Argan.

7 Cherchez, dans le dictionnaire, le sens du mot « hypocondriaque ». Quels avantages Argan trouve-t-il dans le statut de malade ?

8 Quels défauts humains sont mis en évidence à travers d'autres personnages ?

9 Quels personnages de la pièce sont dotés de bon sens ?

Des mots pour mieux écrire

Lexique du théâtre

Acte : grande unité de découpage d'une pièce de théâtre.

Aparté : propos que tient un personnage sans que les autres personnages ne l'entendent.

Coup de théâtre : événement inattendu qui bouleverse l'action.

Dénouement : résolution de l'intrigue à la fin de la pièce.

Didascalie : indication de l'auteur pour la mise en scène (déplacements, gestes, ton...).

Dramaturge : auteur de pièces de théâtre.

Exposition : première(s) scène(s) d'une pièce de théâtre, qui donne(nt) les informations essentielles à la compréhension de l'intrigue.

Mise en scène : ensemble des procédés utilisés pour représenter une pièce de théâtre (décors, costumes, déplacements, intonations...).

Monologue : réplique d'un personnage seul en scène.

Quiproquo : malentendu entre des personnages.

Scène : plus petite unité de découpage d'une pièce de théâtre. Une scène commence dès qu'un personnage entre ou sort de scène.

Tirade : longue réplique d'un personnage.

Mots croisés

Tous les mots à placer dans la grille ci-contre se trouvent dans le lexique du théâtre.

Horizontalement

1. Molière en est un.

2. L'échange au cours duquel Angélique et Argan croient parler de la même personne (acte I, scène 5) en est un.

3. Le long portrait que M. Diafoirus dresse de son fils en est une (acte II, scène 5).

Verticalement

A. Celui d'Argan occupe toute la première scène de la pièce.

B. Réflexion que se fait Argan dans la scène 6 de l'acte II, et que personne n'entend.

C. Ensemble de scènes.

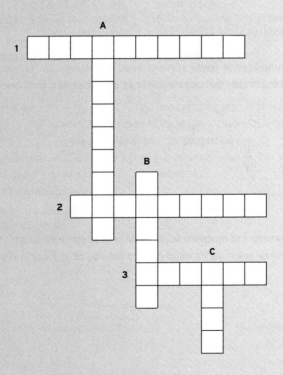

183

Lexique de la médecine

Apothicaire : autrefois, pharmacien.

Clystère : lavement, c'est-à-dire injection de liquide dans les intestins.

Consultation : examen d'un malade par un médecin.

Diagnostic : identification d'une maladie d'après ses symptômes.

Humeurs : au XVIIe siècle, liquides dont on pensait qu'ils constituaient le corps humain.

Patient : personne qui consulte un médecin.

Pouls : perception de la circulation du sang, qu'on vérifie en palpant une artère.

Prescription : recommandation faite au malade par un médecin concernant l'attitude à observer ou les médicaments à prendre.

Remède : tout ce qui permet de soigner ou de prévenir une maladie.

Saignée : coupure pratiquée afin d'évacuer le sang.

Selles : nom médical donné aux excréments.

1 *Complétez le texte suivant avec les termes du lexique de la médecine qui conviennent et accordez-les si nécessaire.*

Lorsqu'ils étaient en présence d'un _____, les médecins du XVIIe siècle l'observaient attentivement, prenaient son _____ à son poignet, examinaient ses _____ et ses urines pour comprendre ce qui entraînait un déséquilibre des _____. Pour le soigner, ils recommandaient souvent un _____ ou une _____ afin de rééquilibrer le corps. Les potions, très utilisées, étaient préparées par l'_____.

2 *Classez les mots du lexique de la médecine en deux colonnes selon qu'ils sont encore employés aujourd'hui ou non.*

À vous de créer

1 *Jouer un passage du* **Malade imaginaire**
Par groupes de trois ou quatre élèves, vous allez mettre en scène et jouer un extrait de la pièce.

Étape 1. Choix et lecture préparatoire
– Choisissez une scène que vous aimeriez jouer et dont le nombre de personnages convient pour votre groupe (un élève pourra être le metteur en scène).
– Pensez à la situation de cette scène dans l'ensemble de la pièce : quels événements la précèdent ? Dans quel état d'esprit les personnages sont-ils ?
– Relisez la scène attentivement : que raconte-t-elle ? Que voulez-vous mettre en valeur dans cette scène ? Qu'a-t-elle d'amusant ?

Étape 2. Mise en scène
– Répartissez-vous les rôles. Le metteur en scène pourra diriger les élèves comédiens et prendre des notes.
– Soulignez les didascalies présentes dans le texte. Imaginez d'autres gestes, déplacements et intonations nécessaires pour donner vie à la scène, puis notez-les au brouillon.
– Repérez les accessoires nécessaires et imaginez les costumes et les décors de la scène. Vous pouvez les fabriquer ou vous servir du mobilier de votre salle de classe, par exemple.

Étape 3. Répétitions et représentation
– Entraînez-vous d'abord en vous aidant du texte puis apprenez-le par cœur. Enfin, interprétez la scène devant votre classe.
– Le metteur en scène pourra expliquer vos choix et ce que vous avez apporté à la scène.

2 (B2i) *Réaliser une affiche annonçant une représentation du* **Malade imaginaire**

Par groupes de trois ou quatre élèves, vous allez imaginer l'affiche qui annoncerait la représentation de la pièce par une troupe de théâtre.

Étape 1. Choix des informations

Dressez la liste des différentes informations qui doivent figurer sur l'affiche : titre de la pièce, nom de l'auteur, nom et adresse du théâtre, lieu et heure de la représentation, nom du metteur en scène et de la troupe que vous imaginerez.

Étape 2. Illustration

– Grâce à un moteur de recherche Internet, collectez des images (photographies de mises en scène, croquis, peintures...) libres de droits en rapport avec la pièce. Enregistrez-les sur votre ordinateur dans un dossier dédié.

– Choisissez l'image qui composera l'affiche : s'agira-t-il d'un ou de plusieurs personnages, d'un objet symbolisant l'intrigue, d'un moment-clé du spectacle ? Cette image devra être représentative de la pièce et susciter l'intérêt du spectateur.

Étape 3. Réalisation

– Créez un nouveau document à l'aide d'un logiciel de traitement de texte ou d'image. Nommez-le et enregistrez-le sur votre ordinateur.

– Insérez l'image que vous avez sélectionnée. Réglez si nécessaire les paramètres d'habillage de façon à ce que l'image se trouve derrière le texte que vous ajouterez.

– Choisissez une police de caractères, réfléchissez au placement des informations et insérez le texte. Réglez le corps de la police afin que le texte comme l'image soient suffisamment visibles.

Groupements de textes

Drôles de consultations médicales

Le Vilain mire[1]

Dans ce fabliau anonyme composé au Moyen Âge, un paysan (le «vilain») bat son épouse. Pour se venger, celle-ci affirme à des hommes cherchant un médecin que son époux en est un excellent, mais qu'il ne l'admet que si on le frappe. Après avoir reçu des coups, le faux médecin est conduit à la cour où il parvient, par une astuce, à guérir la fille du roi.

Le vilain reste donc à la cour. On l'a tondu[2], rasé, on l'habille d'une robe d'écarlate[3]. Il se croyait enfin tranquille lorsque les malades du pays, plus de quatre-vingts à ce qu'on dit, arrivèrent en masse chez le roi, et chacun de raconter son malheur. Le roi appela le vilain :

---

1. **Vilain mire** : paysan médecin.
2. **On l'a tondu** : on lui a coupé les cheveux.
3. **Écarlate** : étoffe de grande qualité.

– Maître, dit-il, j'attire votre attention sur ces gens. Prenez soin d'eux, et guérissez-les-moi vite.

– Pitié, Sire, dit le vilain. Il y en a trop. Si Dieu ne m'aide, je ne pourrai en venir à bout, je ne pourrai pas tous les guérir !

Le roi appela deux garçons, et chacun arriva muni d'un gourdin[1], sachant bien pourquoi le roi les faisait venir.

À leur vue, le vilain se mit à frémir :

– Pitié ! s'écria-t-il. Je vais les guérir sans tarder.

Il demanda du bois, on lui en apporta autant qu'il en voulait. Dans la salle on alluma un grand feu qu'il surveilla lui-même. Il rassembla les malades et pria le roi de quitter la salle avec ceux qui n'avaient rien. Le roi sortit tranquillement avec ses gens.

Le vilain dit aux malades :

– Seigneurs, par le Dieu qui me créa, vous guérir est une entreprise difficile ; je n'en pourrai venir à bout. Je vais donc choisir le plus malade d'entre vous, je vais le jeter au feu et l'y brûler. Tout le monde en tirera profit[2], car ceux qui mangeront ses cendres seront tout aussitôt guéris.

Ils se regardent les uns les autres. Mais il n'y a ni bossu ni obèse – même si on lui offrait la Normandie en royaume – qui admettrait être le plus malade.

Le vilain médecin dit à l'un d'eux :

– Tu me parais bien mal portant ; tu es de tous le plus faible.

– Faites excuse, sire, je vais très bien. Je ne me suis même jamais si bien porté ! Je suis débarrassé d'un haut mal[3] qui me tenait depuis longtemps. Croyez bien que je ne mens pas.

– Alors sors donc. Que viens-tu faire ici ?

Et l'autre prend la porte aussitôt. Le roi lui demande alors :

– Es-tu guéri ?

– Oui, Sire, merci à Dieu ! Me voilà plus sain qu'une pomme. Ce médecin est un homme compétent.

---

1. **Gourdin** : gros bâton de courte taille.
2. **En tirera profit** : y trouvera un intérêt.
3. **Un haut mal** : une maladie grave.

Que pourrais-je encore vous raconter ? Il n'y eut ni petit ni grand qui, pour tout l'or du monde, consentît à se faire jeter au feu. Tous se retirèrent un à un, faisant semblant d'être guéris.

En les voyant, le roi tout étonné dit au vilain :

– Beau maître, quelle merveille ! Vous les avez si vite guéris.

– Sire, je les ai soumis à un charme[1]. J'en possède un qui vaut mieux que gingembre et citoual.

Le Vilain mire [XIIIᵉ s.] dans *Fabliaux*, trad. de l'ancien français et adapté par
P.-M. Beaude, Belin-Gallimard, «Classico», 2013.
© Gallimard Jeunesse.

Molière, *L'Amour médecin*

En 1665, Molière (1622-1673) critique déjà les médecins à travers une comédie, *L'Amour médecin*. Lucinde, fille de Sganarelle, feint une maladie car son père refuse de la marier. Celui-ci, inquiet, convoque plusieurs médecins à son chevet : ils ne sont pas d'accord sur le diagnostic et se disputent autour du lit de leur patiente.

SGANARELLE. – Messieurs, l'oppression de ma fille augmente : je vous prie de me dire vite ce que vous avez résolu[2].

M. TOMÈS. – Allons, Monsieur.

M. DES FONANDRÈS. – Non, Monsieur, parlez, s'il vous plaît.

M. TOMÈS. – Vous vous moquez.

M. DES FONANDRÈS. – Je ne parlerai pas le premier.

M. TOMÈS. – Monsieur.

M. DES FONANDRÈS. – Monsieur.

SGANARELLE. – Hé ! de grâce, Messieurs, laissez toutes ces cérémonies, et songez que les choses pressent.

—————————————

1. Charme : ici, remède magique réalisé à l'aide de plantes ayant des propriétés médicinales, comme le gingembre et le citoual.
2. Ce que vous avez résolu : à quelle conclusion vous êtes parvenus.

M. Tomès, *ils parlent tous quatre ensemble.* – La maladie de votre fille…

M. des Fonandrès. – L'avis de tous ces messieurs tous ensemble…

M. Macroton. – Après avoir bien consulté…

M. Bahys. – Pour raisonner…

Sganarelle. – Hé! Messieurs, parlez l'un après l'autre, de grâce.

M. Tomès. – Monsieur, nous avons raisonné sur la maladie de votre fille, et mon avis, à moi, est que cela procède d'une grande chaleur de sang: ainsi je conclus à la saigner le plus tôt que vous pourrez.

M. des Fonandrès. – Et moi, je dis que sa maladie est une pourriture d'humeurs, causée par une trop grande réplétion[1]: ainsi je conclus à lui donner de l'émétique[2].

M. Tomès. – Je soutiens que l'émétique la tuera.

M. des Fonandrès. – Et moi, que la saignée la fera mourir.

M. Tomès. – C'est bien à vous de faire l'habile homme.

M. des Fonandrès. – Oui, c'est à moi; et je vous prêterai le collet en tout genre d'érudition[3].

M. Tomès. – Souvenez-vous de l'homme que vous fîtes crever ces jours passés.

M. des Fonandrès. – Souvenez-vous de la dame que vous avez envoyée en l'autre monde, il y a trois jours.

M. Tomès. – Je vous ai dit mon avis.

M. des Fonandrès. – Je vous ai dit ma pensée.

---

1. Réplétion: surabondance de nourriture.
2. Émétique: médicament qui fait vomir.
3. Je vous prêterai le collet en tout genre d'érudition: je vous défie d'être plus savant que moi dans n'importe quel domaine.

M. Tomès. – Si vous ne faites saigner tout à l'heure votre fille, c'est une personne morte.

M. des Fonandrès. – Si vous la faites saigner, elle ne sera pas en vie dans un quart d'heure.

Molière, L'Amour médecin [1665], acte II, scène 4,
Belin-Gallimard, «Classico», 2015.

Molière, *Le Médecin malgré lui*

Molière s'inspire du *Vilain mire* pour composer cette pièce. En effet, Martine se venge des coups de son époux Sganarelle en prétendant qu'il est un brillant médecin mais qu'il n'accepte d'exercer son art que s'il est battu. Sganarelle est donc amené de force auprès de Géronte et de sa fille Lucinde, qui souffre d'une curieuse maladie.

Sganarelle. – Est-ce là la malade?

Géronte. – Oui, je n'ai qu'elle de fille; et j'aurais tous les regrets du monde si elle venait à mourir.

Sganarelle. – Qu'elle s'en garde bien! il ne faut pas qu'elle meure sans l'ordonnance du médecin.

Géronte. – Allons, un siège.

Sganarelle. – Voilà une malade qui n'est pas tant dégoûtante; et je tiens qu'un homme bien sain s'en accommoderait assez[1].

Géronte. – Vous l'avez fait rire, Monsieur.

Sganarelle. – Tant mieux: lorsque le médecin fait rire le malade, c'est le meilleur signe du monde. Eh bien! de quoi est-il question? qu'avez-vous? quel est le mal que vous sentez?

---

1. S'en accommoderait assez: s'en contenterait bien, serait heureux de l'épouser.

LUCINDE *répond par signes, en portant sa main à sa bouche, à sa tête, et sous son menton.* – Han, hi, hon, han.

SGANARELLE. – Eh ! que dites-vous ?

LUCINDE *continue les mêmes gestes.* – Han, hi, hon, han, han, hi, hon.

SGANARELLE. – Quoi ?

LUCINDE. – Han, hi, hon.

SGANARELLE, *la contrefaisant*[1]. – Han, hi, hon, han, ha : je ne vous entends point[2]. Quel diable de langage est-ce là ?

GÉRONTE. – Monsieur, c'est là sa maladie. Elle est devenue muette, sans que jusques ici on en ait pu savoir la cause : et c'est un accident qui a fait reculer son mariage.

SGANARELLE. – Et pourquoi ?

GÉRONTE. – Celui qu'elle doit épouser veut attendre sa guérison pour conclure les choses.

SGANARELLE. – Et qui est ce sot-là, qui ne veut pas que sa femme soit muette ? Plût à Dieu que la mienne eût cette maladie ! Je me garderais bien de la vouloir guérir.

GÉRONTE. – Enfin, Monsieur, nous vous prions d'employer tous vos soins pour la soulager de son mal.

SGANARELLE. – Ah ! ne vous mettez pas en peine. Dites-moi un peu, ce mal l'oppresse-t-il beaucoup ?

GÉRONTE. – Oui, Monsieur.

SGANARELLE. – Tant mieux. Sent-elle de grandes douleurs ?

GÉRONTE. – Fort grandes.

SGANARELLE. – C'est fort bien fait. Va-t-elle où vous savez ?

GÉRONTE. – Oui.

---

1. **La contrefaisant** : l'imitant.
2. **Je ne vous entends point** : je ne vous comprends pas.

SGANARELLE. – Copieusement ?

GÉRONTE. – Je n'entends rien à cela.

SGANARELLE. – La matière est-elle louable[1] ?

GÉRONTE. – Je ne me connais pas à ces choses.

SGANARELLE, *se tournant vers la malade.* – Donnez-moi votre bras. Voilà un pouls qui marque que votre fille est muette.

GÉRONTE. – Eh ! Oui, Monsieur, c'est là son mal ; vous l'avez trouvé tout du premier coup.

SGANARELLE. – Ah, ah !

JACQUELINE. – Voyez comme il a deviné sa maladie !

SGANARELLE. – Nous autres grands médecins, nous connaissons d'abord[2] les choses. Un ignorant aurait été embarrassé, et vous eût été dire : « C'est ceci, c'est cela » ; mais moi, je touche au but du premier coup, et je vous apprends que votre fille est muette.

GÉRONTE. – Oui ; mais je voudrais bien que vous me pussiez dire d'où cela vient.

SGANARELLE. – Il n'est rien plus aisé : cela vient de ce qu'elle a perdu la parole.

GÉRONTE. – Fort bien ; mais la cause, s'il vous plaît, qui fait qu'elle a perdu la parole ?

SGANARELLE. – Tous nos meilleurs auteurs vous diront que c'est l'empêchement de l'action de sa langue.

Molière, *Le Médecin malgré lui* [1666], acte II, scène 4, Belin-Gallimard, « Classico », 2013.

Groupements de textes

---

1. Pour les médecins du XVIIᵉ siècle, les « matières louables », c'est-à-dire bien digérées, étaient signe de bonne santé.
2. Nous connaissons d'abord : nous identifions immédiatement.

Jean de la Fontaine, « Les médecins »

Comme Molière, Jean de La Fontaine (1621-1695) critique les défauts des médecins de son époque, d'un point de vue professionnel mais aussi moral. Dans « Les médecins », le poète met en évidence l'incompétence et la vanité de deux d'entre eux, qui font le malheur de leur patient sans s'en soucier le moins du monde.

LES MÉDECINS

Le médecin Tant-Pis allait voir un Malade
Que visitait aussi son Confrère[1] Tant-Mieux.
Ce dernier espérait[2], quoique son Camarade
Soutînt que le Gisant irait voir ses aïeux[3].
Tous deux s'étant trouvés différents pour la cure[4],
Leur Malade paya le tribut à Nature[5],
Après qu'en ses conseils Tant-Pis eut été cru.
Ils triomphaient[6] encor[7] sur cette maladie.
L'un disait : Il est mort, je l'avais bien prévu.
S'il m'eût cru, disait l'autre, il serait plein de vie.

Jean de La Fontaine, *Fables* [1668], livre V, 12,
Gallimard, « Folio classique », 1991.

Jules Romains, *Knock ou le Triomphe de la médecine*

Dans cette pièce de Jules Romains (1885-1972), Knock est un médecin nouvellement installé dans un village, où il reprend la clientèle du docteur Parpalaid. Pour multiplier les patients, et donc

---

1. Confrère : collègue, c'est-à-dire un autre médecin.
2. Espérait : pensait que le malade pouvait guérir.
3. Soutînt que le Gisant irait voir ses aïeux : affirmait que le malade allait mourir.
4. S'étant trouvés différents pour la cure : n'ayant pas réussi à se mettre d'accord sur le remède à prescrire.
5. Paya le tribut à Nature : en paya les conséquences, c'est-à-dire mourut.
6. Triomphaient : se réjouissaient de leur victoire (car chacun de leurs diagnostics s'était révélé juste).
7. Encor : encore (orthographe du XVIIe siècle).

son profit, Knock organise des consultations gratuites au cours desquelles il trouve des maladies à chacun et promet ses remèdes comme une faveur.

LA DAME. – […] Je passe des nuits sans dormir. C'est horriblement fatigant. Vous ne connaîtriez pas, docteur, un secret pour faire dormir ?

KNOCK. – Il y a longtemps que vous souffrez d'insomnie ?

LA DAME. – Très, très longtemps.

KNOCK. – Vous en aviez parlé au docteur Parpalaid ?

LA DAME. – Oui, plusieurs fois.

KNOCK. – Que vous a-t-il dit ?

LA DAME. – De lire chaque soir trois pages du Code civil[1]. C'était une plaisanterie. Le docteur n'a jamais pris la chose au sérieux.

KNOCK. – Peut-être a-t-il eu tort. Car il y a des cas d'insomnie dont la signification est d'une exceptionnelle gravité.

LA DAME. – Vraiment ?

KNOCK. – L'insomnie peut être due à un trouble essentiel de la circulation intracérébrale, particulièrement à une altération des vaisseaux dite « en tuyau de pipe[2] ». Vous avez peut-être, madame, les artères du cerveau en tuyau de pipe.

LA DAME. – Ciel ! En tuyau de pipe ! L'usage du tabac, docteur, y serait-il pour quelque chose ? Je prise[3] un peu.

KNOCK. – C'est un point qu'il faudrait examiner. L'insomnie peut encore provenir d'une attaque profonde et continue de la substance grise par la névroglie[4].

---

1. **Code civil** : livre dans lequel est inscrit l'ensemble des lois françaises.
2. **Altération des vaisseaux** : dégradation, transformation (négative) des veines ou des artères ; **en tuyau de pipe** : de forme coudée (Knock invente une maladie fantaisiste).
3. **Je prise** : le verbe « priser » signifie « aspirer du tabac par le nez ».
4. **Substance grise** : partie du cerveau ; **névroglie** : tissu situé entre les neurones, dans le cerveau.

La dame. – Ce doit être affreux. Expliquez-moi cela, docteur.

Knock, *très posément*[1]. – Représentez-vous un crabe, ou un poulpe, ou une gigantesque araignée en train de vous grignoter, de vous suçoter et de vous déchiqueter doucement la cervelle.

La dame. – Oh ! *(Elle s'effondre dans un fauteuil.)* Il y a de quoi s'évanouir d'horreur. Voilà certainement ce que je dois avoir. Je le sens bien. Je vous en prie, docteur, tuez-moi tout de suite. Une piqûre, une piqûre ! Ou plutôt ne m'abandonnez pas. Je me sens glisser au dernier degré de l'épouvante. *(Un silence.)* Ce doit être absolument incurable ? et mortel ?

Knock. – Non.

La dame. – Il y a un espoir de guérison ?

Knock. – Oui, à la longue.

La dame. – Ne me trompez pas, docteur. Je veux savoir la vérité.

Knock. – Tout dépend de la régularité et de la durée du traitement.

La dame. – Mais de quoi peut-on guérir ? De la chose en tuyau de pipe, ou de l'araignée ? Car je sens bien que, dans mon cas, c'est plutôt l'araignée.

Knock. – On peut guérir de l'un et de l'autre. Je n'oserais peut-être pas donner cet espoir à un malade ordinaire, qui n'aurait ni le temps ni les moyens de se soigner, suivant les méthodes les plus modernes. Avec vous, c'est différent.

La dame. – Oh ! Je serai une malade très docile, docteur, soumise comme un petit chien. Je passerai partout où il le faudra, surtout si ce n'est pas trop douloureux.

Jules Romains, *Knock ou le Triomphe de la médecine* [1923], acte II, scène 5, Belin-Gallimard, «Classico», 2008.
© Gallimard.

---

1. Posément : calmement.

Jean-Louis Fournier, *Il a jamais tué personne, mon papa*

Né en 1938, l'écrivain et humoriste Jean-Louis Fournier publie en 1999 un récit autobiographique dans lequel il évoque son père. Celui-ci était un médecin peu habituel, accordant plus d'importance au fait de se comporter avec humanité envers ses patients plutôt qu'à celui d'exercer avec rigueur.

Ses clients, ils l'aimaient bien, mon papa.

Il fallait qu'ils aient confiance pour se faire soigner par lui. Ils devaient pas regarder de trop près ses instruments, parce qu'ils étaient pas toujours impeccables.

Au fond de ses boîtes de seringues il y avait de l'ouate, elle était toute verte[1]. Papa, il posait ses seringues dessus, et après il faisait des piqûres avec pour soigner les gens. Apparemment, ça réussissait, les gens, ils mouraient pas plus vite, même que c'est lui qui est mort avant eux.

Il sauvait les gens, parce que c'était un bon docteur, papa. Il était gai, il jouait pas les savants, il faisait jamais une tête d'enterrement, et quelquefois il arrivait à faire rigoler le mourant.

Et puis, il était consciencieux. Quand il avait un malade qui n'allait pas bien, il était inquiet, il en parlait à maman et, souvent, il retournait le voir sans qu'on lui demande, et sans demander d'argent.

Ses malades, ils étaient intimidés par les docteurs distingués, bien rasés. Ils préféraient papa, avec ses vieux costumes et ses élastiques au bout de ses souliers, même quand il ne tenait plus debout[2] et qu'il était obligé de se tenir au lit du malade pour pas se casser la figure.

Ses malades disaient que, quand ils voyaient papa, ils n'avaient plus envie de mourir.

Jean-Louis Fournier, *Il a jamais tué personne, mon papa* [1999],
LGF, « Le Livre de poche », 2002.
© Éditions Stock.

---

1. Ouate: coton; **verte**: ici, moisie.
2. Quand il ne tenait plus debout: quand il était ivre (le père du narrateur était alcoolique).

Les amours contrariées au théâtre

Adam de la Halle, *Le Jeu de Robin et Marion*

Le jeu est un genre théâtral apparu au XIIIe siècle, joué et chanté dans les églises, si le thème de la pièce était religieux, ou sinon devant celles-ci. Adam de la Halle (vers 1240-vers 1287) compose ici une pièce non religieuse qui retrace les difficultés rencontrées par deux amoureux, le berger Robin et la bergère Marion. En effet, un chevalier fait la cour à la jeune fille de façon insistante, jouant de sa supériorité sociale. Dans cet extrait, il trouve un prétexte pour frapper Robin.

LE CHEVALIER. – Dites, bergère, n'êtes-vous pas celle que j'ai vue ce matin ?

MARION. – Par Dieu, sire, passez votre chemin, et vous agirez très courtoisement.

LE CHEVALIER. – Certes, chère et très douce amie, je ne le dis pas en mauvaise part[1], mais je cherche par ici un oiseau portant un grelot[2].

MARION. – Allez le long de cette petite haie, je crois que vous l'y retrouverez, il vient d'y voler à l'instant.

LE CHEVALIER. – C'est vrai, n'est-ce pas ?

MARION. – Oui, à coup sûr.

LE CHEVALIER. – Certes, je me soucierais fort peu de l'oiseau, si j'avais une aussi belle amie.

---

1. **En mauvaise part** : ici, avec de mauvaises intentions.
2. **Grelot** : clochette permettant de retrouver un oiseau utilisé pour chasser.

MARION. – Par Dieu, sire, passez votre chemin, car j'ai très peur.

LE CHEVALIER. – de qui ?

MARION. – Certes, de Robechon[1].

LE CHEVALIER. – De lui ?

MARION. – Assurément, s'il savait cela, jamais plus il ne m'aimerait, et je n'aime personne autant que lui.

LE CHEVALIER. – Vous n'avez personne à redouter, si vous voulez me prêter quelque attention.

MARION. – Seigneur, vous nous ferez surprendre ; allez-vous en, laissez-moi tranquille, car je n'ai que faire de vous parler. Laissez-moi m'occuper de mes brebis.

LE CHEVALIER. – Vraiment, je suis bien bête d'abaisser mon esprit au niveau du tien !

MARION. – Allez-vous en donc et vous ferez bien ; d'ailleurs, j'entends des gens qui viennent ici.
> *J'entends Robin jouer du flageolet d'argent[2],*
> *Du flageolet d'argent.*
Par Dieu, seigneur, allez-vous en donc !

LE CHEVALIER. – Bergerette, adieu. Je ne vous ferai pas d'autre violence. Ah ! sale rustre, malheur à toi ! Pourquoi assommes-tu mon faucon ? Si l'on te donnait un coup, ce serait une bonne action !

ROBIN. – Ah ! seigneur, vous commettriez une faute. J'ai peur qu'il ne m'échappe.

LE CHEVALIER. – Reçois en paiement cette gifle pour le traiter si gentiment.

ROBIN. – Haro ! Dieu ! Haro ! bonnes gens !

---

1. Robechon : surnom que la bergère donne à Robin.
2. Flageolet d'argent : flûte à bec.

Le chevalier. – Tu fais du tapage ? Prends cette claque !

Marion. – Sainte-Marie ! J'entends Robin ! Je crois qu'il est dans une mauvaise passe ; j'aimerais mieux perdre mes brebis que de ne pas aller à son secours ! Hélas ! Je vois le chevalier ! Je crois que c'est à cause de moi qu'il l'a frappé. Robin, cher ami, qu'est-ce qui t'arrive ?

Robin. – À coup sûr, chère amie, il m'a tué.

Marion. – Par Dieu, seigneur, vous avez tort de l'avoir ainsi mis à mal.

Le chevalier. – Mais voyez comment il a arrangé mon faucon ! Regardez bergère !

Marion. – Il ne sait pas comment s'y prendre avec les faucons : par Dieu, seigneur, pardonnez-lui donc.

Le chevalier. – Volontiers, si vous venez avec moi.

Marion. – Absolument pas.

Le chevalier. – Mais si ! Je ne veux pas avoir d'autre amie, et je veux que ce cheval vous porte.

Marion. – À coup sûr, il faudra donc que vous me fassiez violence ! Robin, pourquoi ne viens-tu pas à mon secours ?

Robin. – Ah ! Hélas ! J'ai donc tout perdu ! Mes cousins arriveront ici trop tard ! Je perds Marotte[1], je reçois une claque, et ma robe et mon surcot[2] sont déchirés !

Gautier. – *Hé ! Réveille-toi, Robin,*
Car on emmène Marotte,
Car on emmène Marotte.

Adam de la Halle, *Le Jeu de Robin et Marion* [1282-1289],
trad. de l'ancien français par A. Brasseur-Péry, Honoré Champion,
«Classiques français du Moyen Âge», 2008.

---

1. Marotte : surnom que le berger donne à Marion.
2. Surcot : sorte de chemise portée près du corps.

William Shakespeare, *Roméo et Juliette*

Cette tragédie de William Shakespeare (1564-1616) relate l'amour impossible de Roméo Montaigu et de Juliette Capulet. En effet, les deux jeunes gens sont issus de familles ennemies qui se vouent une haine féroce. Lors d'un bal, Roméo et Juliette tombent follement amoureux au premier regard. Après la fête, Juliette rêve à son balcon et Roméo la contemple, dissimulé par la nuit…

JULIETTE

Ô Roméo, Roméo, pourquoi es-tu Roméo ?
Renie ton père et refuse ton nom ;
Ou si tu ne veux pas, jure d'être mon amour,
Et je ne serai plus une Capulet.

ROMÉO

Dois-je écouter encore, ou dois-je lui parler ?

JULIETTE

C'est seulement ton nom qui est mon ennemi ;
Tu es toi-même, quand tu ne serais plus un Montaigu.
Qu'est-ce qu'un Montaigu ? Ce n'est ni une main, ni un pied,
Ni un bras, ni un visage, ni aucune autre partie
Du corps d'un homme. Oh ! sois quelque autre nom !
Qu'y a-t-il dans un nom ? Ce qu'on appelle une rose
Sous un tout autre nom sentirait aussi bon ;
De même Roméo, s'il ne s'appelait pas Roméo,
Garderait cette chère perfection qui est la sienne
Sans ce titre. Roméo, enlève ton nom,
Et en échange de ton nom, qui n'est aucune partie de toi,
Prends-moi toute[1].

ROMÉO

Je te prends au mot :
Appelle-moi seulement amour et je serai rebaptisé ;
Désormais plus jamais je ne serai Roméo.

---

1. **Toute** : tout entière.

JULIETTE

Quel homme es-tu, toi qui, dans l'écran de la nuit[1],
Trébuches ainsi sur mon secret ?

ROMÉO

D'un nom
Je ne sais pas comment te dire qui je suis :
Mon nom, chère sainte, est pour moi-même haïssable
Parce qu'il est un ennemi pour toi ;
L'eussé-je par écrit, je déchirerais le mot.

JULIETTE

Mes oreilles n'ont pas encore bu cent mots
Prononcés par ta langue, pourtant j'en reconnais le son.
N'es-tu pas Roméo, et un Montaigu ?

ROMÉO

Ni l'un ni l'autre, vierge, si l'un et l'autre te déplaisent.

JULIETTE

Comment es-tu venu ici, dis-moi, et pourquoi ?
Les murs de ce verger sont hauts et difficiles à escalader,
Et ce lieu, la mort, considérant qui tu es
Si l'un de mes proches te trouve ici.

ROMÉO

Sur les ailes légères de l'amour j'ai survolé ces murs,
Car les bornes de pierre ne sauraient retenir l'amour,
Et ce que peut l'amour, l'amour ose le tenter :
Ainsi tes proches ne peuvent pas m'arrêter.

JULIETTE

S'ils te voient, ils vont t'assassiner.

---

1. **Dans l'écran de la nuit** : dans l'obscurité de la nuit.

ROMÉO

Hélas ! il y a plus de périls[1] dans ton œil
Que dans vingt de leurs épées : un doux regard de toi,
Et je suis cuirassé contre leur inimitié[2].

JULIETTE

Je ne voudrais pas pour le monde entier qu'ils te voient ici.

ROMÉO

J'ai le manteau de la nuit pour me cacher à leurs yeux,
Et si tu ne m'aimes pas, qu'ils me trouvent ici.
Plutôt ma vie achevée par leur haine
Que ma mort différée, s'il me manque ton amour.

William Shakespeare, *Roméo et Juliette* [1596], acte II, scène 1,
trad. de l'anglais par J.-M. Déprats, Belin-Gallimard, « Classico », 2011.
© Gallimard.

Molière, *Les Fourberies de Scapin*

Dans cette comédie de Molière, le jeune Octave est tombé amoureux de Hyacinte, une bohémienne. Mais Argante, père d'Octave, revient de voyage avec l'intention de marier son fils à la fille d'un de ses amis. Hyacinte s'inquiète donc à la fois de ce projet de mariage et des sentiments de son amoureux.

HYACINTE. – Ah ! Octave, est-il vrai ce que Silvestre vient de dire à Nérine[3] ? Que votre père est de retour, et qu'il veut vous marier ?

OCTAVE. – Oui, belle Hyacinte, et ces nouvelles m'ont donné une atteinte[4] cruelle. Mais que vois-je ? Vous pleurez ! Pourquoi ces larmes ? Me soupçonnez-vous, dites-moi, de quelque infidélité, et n'êtes-vous pas assurée de l'amour que j'ai pour vous ?

---

1. Périls : dangers.
2. Cuirassé contre leur inimitié : protégé contre leur haine.
3. Silvestre est le valet d'Octave, Nérine l'ancienne nourrice de Hyacinte.
4. Une atteinte : une blessure morale.

Hyacinte. – Oui, Octave, je suis sûre que vous m'aimez ; mais je ne le suis pas que vous m'aimiez toujours.

Octave. – Eh ! Peut-on vous aimer, qu'on ne vous aime[1] toute sa vie ?

Hyacinte. – J'ai ouï dire, Octave, que votre sexe[2] aime moins longtemps que le nôtre, et que les ardeurs[3] que les hommes font voir sont des feux qui s'éteignent aussi facilement qu'ils naissent.

Octave. – Ah ! Ma chère Hyacinte, mon cœur n'est donc pas fait comme celui des autres hommes, et je sens bien pour moi que je vous aimerai jusqu'au tombeau.

Hyacinte. – Je veux croire que vous sentez ce que vous dites, et je ne doute point que vos paroles ne soient sincères ; mais je crains un pouvoir qui combattra dans votre cœur les tendres sentiments que vous pouvez avoir pour moi. Vous dépendez d'un père, qui veut vous marier à une autre personne ; et je suis sûre que je mourrai, si ce malheur m'arrive.

Octave. – Non, belle Hyacinte, il n'y a point de père qui puisse me contraindre à vous manquer de foi[4], et je me résoudrai à quitter mon pays, et le jour même[5], s'il est besoin, plutôt qu'à vous quitter. J'ai déjà pris, sans l'avoir vue, une aversion[6] effroyable pour celle que l'on me destine ; et sans être cruel, je souhaiterais que la mer l'écartât d'ici pour jamais. Ne pleurez donc point, je vous prie, mon aimable Hyacinte, car vos larmes me tuent, et je ne les puis voir sans me sentir percer le cœur.

Hyacinte. – Puisque vous le voulez, je veux bien essuyer mes pleurs, et j'attendrai d'un œil constant ce qu'il plaira au Ciel de résoudre de moi[7].

---

1. Qu'on ne vous aime : sans vous aimer.

2. Votre sexe : les hommes.

3. Les ardeurs : la passion amoureuse.

4. Manquer de foi : trahir, manquer à sa parole.

5. Et le jour même : et même la vie.

6. Aversion : détestation, dégoût.

7. J'attendrai d'un œil constant ce qu'il plaira au Ciel de résoudre de moi : j'attendrai avec patience le sort que Dieu me réserve.

OCTAVE. – Le Ciel nous sera favorable.

HYACINTE. – Il ne saurait m'être contraire, si vous m'êtes fidèle.

OCTAVE. – Je le serai assurément.

HYACINTE. – Je serai donc heureuse.

Molière, Les Fourberies de Scapin [1671], acte I, scène 3,
Belin-Gallimard, «Classico», 2013.

Georges Feydeau, *Fiancés en herbe*

Georges Feydeau (1862-1921) compose cette pièce en un seul acte en 1886. René, onze ans, et Henriette, neuf ans, discutent dans une salle d'étude; René aborde le vaste sujet qu'est l'amour. Le comique de la scène provient notamment du décalage entre la logique enfantine et le langage convenu que René emprunte aux adultes.

RENÉ. – Je crois que papa a l'intention de me marier.

HENRIETTE. – Toi?

RENÉ. – Oui… je ne sais pas… tu connais la marquise d'Engelure, l'amie de maman… tu sais, qui renifle tout le temps… Figure-toi qu'elle a acheté[1] une petite fille! Alors j'ai entendu papa qui lui disait: «Ce sera une jolie petite femme pour mon fils!» Moi j'ai pas osé dire «Ah! flûte!» parce que papa n'aime pas ça, mais il me dégoûte. Ce marmot, je ne peux pas le conduire dans le monde[2]! Il bave encore!… Ah! Si cela avait été toi, seulement…

HENRIETTE. – Moi!

RENÉ. – Oh! Oui, toi… je ne dirais pas non… j'ai de l'amitié pour toi, j'ai de l'amour.

---

1. Acheté: ici, adopté.
2. Ce marmot: ce bébé; **le conduire dans le monde**: l'emmener lors de mes sorties mondaines, dans la bonne société.

HENRIETTE. – À quoi voit-on qu'on a de l'amour ?

RENÉ. – C'est pas malin… Il y a trente-six manières. Nous jouons ensemble, par exemple ! tu me casses mon cerceau… je ne te donne pas de coups de pieds… ça prouve que j'ai de l'amour…

HENRIETTE. – Et quand c'est des claques ?

RENÉ. – Oh ! c'est la même chose.

HENRIETTE. – Mais alors j'ai eu souvent de l'amour, moi… Il y a eu beaucoup d'enfants qui m'ont cassé mes jouets… et je ne leur donnais pas de coups… parce qu'ils étaient plus forts que moi ! Je ne savais pas que c'était de l'amour !

RENÉ. – Henriette ! Si tu voulais nous marier ensemble ?

HENRIETTE. – Ah ! Je ne peux pas… j'ai promis.

RENÉ. – Toi !

HENRIETTE. – Oui, j'ai promis à papa que je l'épouserais.

RENÉ. – Mais on n'épouse pas son père !…

HENRIETTE. – Pourquoi donc ?…

RENÉ. – Parce qu'il est de votre famille.

HENRIETTE. – Quoi ! il a bien épousé maman ! il me semble que c'est bien de sa famille.

RENÉ. – Ah ! Oui, mais ça, c'est permis… on peut épouser sa femme !

HENRIETTE. – Maintenant tu sais, si papa veut ! moi je ne demande pas mieux.

RENÉ. – Oh ! Tu verras comme je serai un bon mari… jamais je ne donne des coups, moi… ou très rarement ! Mais tu ne peux pas espérer, n'est-ce pas ?

HENRIETTE. – C'est évident… Papa lui-même m'en donne, des claques, quand je ne suis pas sage ! ainsi !

RENÉ. – Mais oui, ça c'est la vie…

HENRIETTE. – Dis donc, mais pour ça, il faut que papa veuille… s'il ne veut pas que je devienne ta femme, s'il tient à ce que je sois la sienne…

RENÉ, *avec une certaine importance.* – Ma chère, vous êtes une enfant ! Quand vous aurez comme moi onze ans, que vous aurez l'expérience de la vie, vous ne direz plus des enfantillages pareils !

Georges Feydeau, *Fiancés en herbe* [1886] dans *Théâtre complet*, t. 1, Classiques Garnier, 2012.

Edmond Rostand, *Cyrano de Bergerac*

Le personnage principal de cette pièce d'Edmond Rostand (1868-1918), Cyrano, est généreux, courageux, redoutable au combat à l'épée, orateur de talent et même poète. Il est secrètement amoureux de Roxane, sa cousine, une jeune femme coquette admirée par beaucoup d'hommes. Malgré toutes ses qualités, Cyrano se croit trop laid pour être aimé, du fait de son grand nez. Dans cette scène, il avoue son amour à son ami Le Bret.

CYRANO

Qui j'aime ?… Réfléchis, voyons. Il m'interdit
Le rêve d'être aimé même par une laide,
Ce nez qui d'un quart d'heure en tous lieux me précède ;
Alors moi, j'aime qui ?… Mais cela va de soi !
J'aime – mais c'est forcé ! – la plus belle qui soit !

LE BRET

La plus belle ?…

CYRANO

       Tout simplement, qui soit au monde !
La plus brillante, la plus fine,

                Avec accablement.
       la plus blonde !

LE BRET

Eh ! mon Dieu, quelle est donc cette femme ?…

CYRANO

Un danger

Mortel sans le vouloir, exquis sans y songer,
Un piège de nature, une rose muscade
Dans laquelle l'amour se tient en embuscade !
Qui connaît son sourire a connu le parfait.
Elle fait de la grâce avec rien, elle fait
Tenir tout le divin dans un geste quelconque,
Et tu ne saurais pas, Vénus, monter en conque,
Ni toi, Diane, marcher dans les grands bois fleuris[1].
Comme elle monte en chaise[2] et marche dans Paris !…

LE BRET

Sapristi ! je comprends. C'est clair !

CYRANO

C'est diaphane[3].

LE BRET

Magdeleine Robin, ta cousine ?

CYRANO

Oui, – Roxane.

LE BRET

Eh bien ! mais c'est au mieux ! Tu l'aimes ? Dis-le-lui !
Tu t'es couvert de gloire à ses yeux aujourd'hui[4] !

---

1. Dans la mythologie romaine, Vénus, déesse de la beauté, est née dans un coquillage (une « conque ») ; Diane, déesse de la chasse, vit dans les bois.
2. Chaise : ici, petite voiture tirée par des chevaux.
3. Diaphane : d'une transparence absolue.
4. Lors d'une représentation théâtrale à laquelle assistait Roxane, Cyrano a ridiculisé l'un de ses ennemis dans un duel de mots et d'épée, remportant un triomphe auprès du public.

CYRANO

Regarde-moi, mon cher, et dis quelle espérance
Pourrait bien me laisser cette protubérance[1] !
Oh ! je ne me fais pas d'illusion ! – Parbleu,
Oui, quelquefois, je m'attendris, dans le soir bleu ;
J'entre en quelque jardin où l'heure se parfume ;
Avec mon pauvre grand diable de nez je hume
L'avril, – je suis des yeux, sous un rayon d'argent,
Au bras d'un cavalier, quelque[2] femme, en songeant
Que pour marcher, à petits pas, dans de la lune,
Aussi moi j'aimerais au bras en avoir une,
Je m'exalte[3], j'oublie… et j'aperçois soudain
L'ombre de mon profil sur le mur du jardin !

LE BRET, *ému.*

Mon ami !…

CYRANO

Mon ami, j'ai de mauvaises heures !
De me sentir si laid, parfois, tout seul…

LE BRET, *vivement, lui prenant la main.*

Tu pleures ?

CYRANO

Ah ! non, cela, jamais ! Non, ce serait trop laid,
Si le long de ce nez une larme coulait !

Edmond Rostand, *Cyrano de Bergerac* [1897], acte I, scène 5,
Belin-Gallimard, « Classico », 2011.

---

1. **Protubérance** : excroissance, partie disgracieuse qui dépasse de quelque chose.
2. **Quelque** : une.
3. **Je m'exalte** : je me laisse entraîner à espérer.

Autour de l'œuvre

Interview imaginaire de Molière

▶▶ *Molière, pourriez-vous vous présenter ?*

Mon véritable nom est Jean-Baptiste Poquelin. Je suis né en 1622, à Paris, dans une famille bourgeoise. J'ai pris le pseudonyme « Molière » comme nom de théâtre à l'âge de vingt-deux ans.

Molière
(1622-1673)

▶▶ *Vous destiniez-vous dès votre jeunesse à devenir comédien ?*

Non, pas du tout. Mon père était tapissier du roi : cette charge étant héréditaire, j'aurais dû perpétuer la tradition familiale. Cependant, cette profession ne m'intéressait pas et j'ai suivi des études de droit afin de devenir avocat : mes projets n'avaient donc rien à voir avec la comédie. J'ai été très tôt passionné par le théâtre, notamment grâce à mon grand-père qui m'emmenait voir des représentations données par les troupes françaises et italiennes, mais ce n'est qu'à partir de 1640 que j'ai songé à en faire mon métier.

▶▶ Qu'est-ce qui a déclenché cette vocation ?

J'ai rencontré un brillant comédien italien, surnommé Scaramouche, qui m'a beaucoup influencé. Surtout, j'ai fait la connaissance d'une famille de comédiens, les Béjart, et je suis tombé amoureux de leur fille, Madeleine. À partir de ce moment, je n'ai plus pensé qu'au théâtre !

▶▶ Avez-vous rencontré le succès dès vos débuts ?

En 1643, Madeleine Béjart, quelques autres comédiens et moi avons fondé une nouvelle compagnie, l'Illustre-Théâtre. Nos débuts ont été très difficiles : bien que nous jouions des tragédies, genre très à la mode au xviie siècle, notre troupe n'avait aucun succès. Un an après sa création, nous avons fait faillite. J'ai même été emprisonné quelques jours pour dettes !

▶▶ Votre situation s'est-elle améliorée par la suite ?

Oui, après que nous avons quitté Paris en 1645. Nous sommes alors devenus une compagnie itinérante et avons sillonné la France pendant douze ans, jouant des farces sur les places des villages. J'ai commencé à composer moi-même des pièces qui ont connu un vif succès. Mon talent comique a fait de moi une vedette, et nous avons gagné la protection de grands seigneurs, comme le prince de Conti.

Cependant, celui-ci nous a retiré son soutien en 1658 et nous sommes rentrés à Paris. C'est alors Monsieur, frère de Louis XIV, qui nous a pris sous sa protection et nous a introduits auprès du roi. *Le Docteur amoureux*, première comédie que nous lui avons présentée, l'a beaucoup fait rire.

▶▶ En quoi le soutien du roi a-t-il changé votre vie ?

Louis XIV nous a octroyé une salle, celle du Petit-Bourbon d'abord, puis le théâtre du Palais-Royal en 1662. En 1665, nous sommes officiellement devenus la troupe du roi, qui nous a accordé une pension.

C'est à cette période que j'ai écrit mes pièces les plus célèbres, la plupart commandées par le roi : *Dom Juan* (1665), *Le Misanthrope* et *Le Médecin malgré lui* (1666), *L'Avare* (1668), *Le Bourgeois gentilhomme* (1670), *Les Fourberies de Scapin* (1671). J'ai connu de nombreux triomphes avec ma troupe.

▶▶ **Si vous êtes passé du Petit-Bourbon au Palais-Royal, c'est parce qu'on avait démoli votre théâtre. Vous avez donc eu des ennemis ?**

En effet. Des comédiens d'une compagnie rivale, l'Hôtel de Bourgogne, critiquaient ma façon d'écrire les pièces. Il faut dire que je n'étais pas tendre avec eux, me moquant de leur façon de jouer que je jugeais peu naturelle et ridicule.

Par ailleurs, mes pièces mettent en évidence les comportements ridicules ou condamnables de certains, car je pense que la comédie est « un poème ingénieux qui, par des leçons agréables, reprend les défauts des hommes[1] ». Les personnes puissantes qui se sont reconnues ont fait pression pour qu'on interdise mes pièces. Cela a été le cas pour *Tartuffe* (1664). Cette comédie met en scène un homme hypocrite se prétendant très croyant par intérêt : sous l'influence de certains religieux, le roi l'a interdite pendant cinq ans.

▶▶ **En quoi Le Malade imaginaire occupe-t-il une place particulière dans votre œuvre ?**

Il s'agit de ma dernière pièce. C'est surtout le lien qui existe entre ma mort et cette pièce qui l'a rendue célèbre. Depuis huit ans, je souffrais d'une maladie respiratoire et, en 1673, j'étais très affaibli. Le 17 février était donnée la quatrième représentation du *Malade imaginaire*. Je tenais le rôle d'Argan. Quelle ironie ! Au contraire du personnage, j'étais réellement accablé par une toux épuisante. Pendant le troisième acte, j'ai été pris d'un malaise et je suis mort quelques heures plus tard.

La légende retient cependant que je suis mort sur scène : une belle fin pour un homme qui a consacré sa vie au théâtre !

---

1. Préface de *Tartuffe*, 1669.

Contexte historique et culturel

❈ Le règne de Louis XIV

Lorsqu'il devient roi de France en 1643, Louis XIV (1638-1715) a cinq ans. C'est donc sa mère, Anne d'Autriche (1601-1666), qui assure la régence avec l'aide du ministre Mazarin (1602-1661). À la mort de celui-ci commence le règne personnel de Louis XIV.

Il instaure alors une monarchie absolue : il prend seul toutes les décisions. Sous son règne, la France devient une grande puissance politique et militaire. Cependant, les campagnes entreprises par le roi, comme la guerre de Hollande (1672-1678) à laquelle il est fait allusion dans l'églogue (p. 10-11), sont coûteuses et épuisent le pays.

Louis XIV
en costume de Soleil,
illustration, XVIIᵉ siècle.

❈ Le Roi-Soleil et les arts

Louis XIV installe la cour au château de Versailles en 1682. Il y organise des fêtes somptueuses pour lesquelles il fait appel à de grands artistes. Molière imagine un nouveau genre de spectacle, la comédie-ballet, qui mêle théâtre, chant et danse. Il en compose onze, avec la collaboration des compositeurs Jean-Baptiste Lully (1632-1687) puis Marc-Antoine Charpentier (1643-1704).

Louis XIV aime les arts et les spectacles, mais ceux-ci ont aussi un triple objectif politique : il s'agit de divertir les membres de la cour qui sont ainsi moins disponibles pour contester les décisions du roi, de valoriser la personne du souverain car les œuvres qu'il commande chantent sa gloire, et enfin de montrer au reste du monde la grandeur du règne du Roi-Soleil et la richesse de la France.

Autour de l'œuvre

Le théâtre au XVIIe siècle

Au XVIIe siècle, la tragédie est jugée plus noble que la comédie. Toutefois, Molière redonne du prestige à ce genre en composant des comédies élaborées, par lesquelles il cherche à corriger les défauts des hommes et à dénoncer les travers de la société.

À l'époque, les comédiens sont à la fois appréciés et méprisés. Ils sont accusés de mener une vie immorale. L'Église les exclut de la communauté chrétienne, certains prêtres refusent de baptiser ou d'enterrer religieusement les comédiens. À la mort de Molière, en 1673, son épouse obtient une autorisation exceptionnelle de Louis XIV pour le faire inhumer selon les rites chrétiens, mais dans le plus grand secret et en pleine nuit.

La médecine au XVIIe siècle

Au XVIIe siècle, le peuple est très vulnérable aux maladies car il est mal nourri et mal soigné. Dans toute l'Europe sévissent périodiquement des épidémies (choléra, peste), que les médecins ne savent pas traiter et qui font de nombreuses victimes.

La médecine de l'époque s'appuie toujours sur les principes établis par deux médecins grecs de l'Antiquité : Hippocrate (Ve-IVe s. av. J.-C.) et Galien (IIe siècle apr. J.-C.). On pense que le corps humain contient quatre humeurs (liquides) : le sang, le flegme, la bile jaune et la bile noire. Cependant, en 1628, le médecin anglais William Harvey (1578-1657) explique le principe de la circulation sanguine. En 1673, cette idée est globalement acceptée.

Les médecins du XVIIe siècle font de longues études, jusqu'à trente ans environ. Tout l'enseignement se fait en latin, ce qui explique le jargon ridiculisé par Molière. La formation intègre très peu de séances d'anatomie et de travaux pratiques, d'où le manque d'expérience que Molière reproche aux médecins.

Repères chronologiques

1610	**Début du règne de Louis XIII. Régence de Marie de Médicis.**
1628	William Harvey explique la circulation sanguine.
1632	Rembrandt, *La Leçon d'anatomie du docteur Nicolaes Tulp* (peinture).
1637	Pierre Corneille, *Le Cid* (tragi-comédie).
1643	**Mort de Louis XIII. Louis XIV devient roi. Régence d'Anne d'Autriche.** Molière fonde l'Illustre-Théâtre avec les Béjart.
1644	Jean-Baptiste Poquelin prend le nom de Molière.
1659	Molière, *Les Précieuses ridicules* (comédie), premier succès de la troupe à Paris.
1661	**Mort de Mazarin. Début du règne personnel de Louis XIV.**
1664	Molière, *Tartuffe* (comédie). Le roi fait interdire la pièce jusqu'en 1669.
1665	Le roi accorde à la compagnie de Molière le titre de «troupe du roi».
1666	Molière, *Le Médecin malgré lui* (comédie).
1668	Jean de La Fontaine, premier recueil des *Fables* (poésie).
1670	Jean Racine, *Bérénice* (tragédie).
1672-1678	**Guerre de Hollande.**
1673	Molière, *Le Malade imaginaire* (comédie-ballet). Mort de Molière.
1680	Création de la Comédie-Française.
1715	**Mort de Louis XIV. Louis XV lui succède.**

Autour de l'œuvre

Les grands thèmes de l'œuvre

La critique sociale

La satire des médecins

Le Malade imaginaire dresse un tableau particulièrement accablant de la médecine de son époque.

Les médecins n'exercent pas pour soigner leurs patients mais par cupidité, ce qui fait dire à Toinette : « ce M. Fleurant-là et ce M. Purgon s'égayent bien sur votre corps ; ils ont en vous une bonne vache à lait » (p. 26-27).

De plus, les médecins se montrent pédants, s'exprimant avec un langage volontairement compliqué et farci de latin. Ils ne cherchent pas à se faire comprendre de leurs patients, comme en atteste le charabia incompréhensible de M. Diafoirus à la scène 6 de l'acte II.

Ces discours savants cachent un vide de connaissances qui relève presque de la malhonnêteté, comme l'affirme Béralde à la scène 3 de l'acte III : « toute l'excellence de leur art consiste en un pompeux galimatias, en un spécieux babil qui vous donne des mots pour des raisons et des promesses pour des effets » (p. 129).

Dans la pièce, les médecins apparaissent, en outre, comme repliés sur de vieilles connaissances et fermés aux découvertes nouvelles, comme les Diafoirus qui refusent de croire à la circulation du sang.

Par conséquent, les médecins sont totalement incompétents : « entendez-les parler : les plus habiles gens du monde ; voyez-les faire : les plus ignorants de tous les hommes », affirme Béralde (p. 131). Les contradictions entre le diagnostic des Diafoirus et celui de M. Purgon en sont la preuve (acte II, scène 6).

Non seulement les médecins sont incapables de soigner, mais ils sont même dangereux, comme le soulignent Toinette (« il faut qu'il ait tué bien des gens, pour s'être fait si riche », p. 37), Béralde (acte III, scène 3) et le président dans le troisième intermède (« Je te donne et concède / La vertu et la puissance / [...] de tuer / Impunément », p. 169).

Ce dernier divertissement met d'ailleurs en évidence l'absence de scrupule et de déontologie chez les médecins de l'époque. En effet, quelle que soit la maladie, le remède est toujours le même : « clystère donner, puis saigner, ensuite purger » (p. 165) sonne comme un refrain systématique et absurde.

Une autorité paternelle excessive

Le Malade imaginaire dresse un tableau des liens familiaux au XVIIe siècle. La pièce témoigne du fait qu'à cette époque, les pères ont tout pouvoir sur leurs enfants : M. Diafoirus donne encore des ordres à Thomas qui est en âge de se marier (acte II, scène 5) et Argan peut décider d'imposer à Angélique un fiancé qui ne lui plaît pas ou de l'enfermer dans un couvent (acte II, scène 6). Molière ne remet probablement pas en cause l'autorité paternelle en elle-même, qui représente le modèle familial à l'époque. C'est parce qu'Argan s'entête en dépit de tout bon sens que son autorité devient abusive et tyrannique.

Un couple maître/servante inhabituel

La pièce donne un aperçu des relations entre maître et serviteur au XVIIe siècle. Argan se permet d'injurier Toinette (« Ah, chienne ! Ah, carogne… ! », p. 24) et va jusqu'à la menacer ensuite (« il faut que je t'assomme », p. 40).

Mais l'étonnante maîtrise du langage de Toinette lui offre de belles revanches. En effet, elle s'autorise des jeux de mots audacieux : « je ne me mêle point de ces affaires-là : c'est à M. Fleurant à y mettre le nez, puisqu'il en a le profit » (p. 26). Elle a souvent recours à l'insolence et à l'ironie dans les scènes avec les médecins (acte II, scène 5 ; acte III, scène 5). Elle a, de plus, une grande finesse psychologique. En effet, elle connaît les faiblesses de ses maîtres et parvient à les manipuler. Ainsi expose-t-elle son plan à Angélique à la fin de l'acte I : « pour vous servir avec plus d'effet, je veux […] couvrir le zèle que j'ai pour vous, et feindre d'entrer dans les sentiments de votre père et de votre belle-mère » (p. 50). Chez Molière, l'intelligence et le bon sens ne sont donc pas une question de classe sociale.

Toinette pousse même l'audace jusqu'à affronter son maître et prendre part à ses décisions. Ainsi, elle s'oppose à l'idée qu'Angélique épouse Thomas Diafoirus, outrepassant largement ses droits de servante en affirmant « non, je ne consentirai jamais à ce mariage » (p. 40). Le spectateur assiste donc à une inversion du rapport entre maître et serviteur, comme si Molière donnait à la servante le rôle qu'elle mérite par ses qualités.

Rire et mort

L'omniprésence de la mort

Au XVIIe siècle, la pensée de la mort est présente dès qu'on évoque la maladie : à l'époque, être malade est une chose grave, on peut encore mourir d'une affection bénigne.

De surcroît, certains personnages de la pièce évoquent explicitement la mort, comme Béline dans la scène 7 de l'acte I (l. 54) ou Angélique dans la scène 6 de l'acte II (l. 96).

Des décès sont même mis en scène dans la pièce, dans des passages de théâtre dans le théâtre. En effet, Louison feint de mourir quand son père menace de la battre (acte II, scène 8). Dans l'acte III, c'est Argan qui joue le défunt (scènes 12 et 13). À une époque où les convenances interdisaient de représenter la mort sur scène, ces faux décès, comiques car feints, étaient des images marquantes pour les spectateurs.

Rire pour guérir

Le divertissement proposé par Béralde dans la scène 9 de l'acte II a pour but affiché de guérir Argan de sa supposée maladie : le spectacle « dissipera [son] chagrin » et fera office de remède : « cela vaudra bien une ordonnance de M. Purgon » (p. 111). Mais Béralde espère aussi que divertir Argan aidera à le libérer de son obsession des médecins : « j'aurais souhaité de pouvoir un peu vous tirer de l'erreur où vous êtes, et, pour vous divertir, vous mener voir [...] quelqu'une des comédies de Molière », propose-t-il à son frère (p. 132). L'objectif est toujours d'arracher Argan à ses préoccupations médicales et de l'ouvrir au théâtre et au rire, à la vie, en somme.

Rire pour oublier la mort

Molière place de nombreux divertissements dans sa pièce : l'églogue pastorale (p. 8-17), la sérénade à rebondissements de Polichinelle (p. 52-66), l'opéra impromptu intégré à l'acte II (p. 52-66), les chants des « Mores » (p. 112-115), l'intronisation d'Argan en médecin (p. 161-172). La comédie-ballet offre ainsi un spectacle total, une farandole de musique, de danse et de scènes burlesques.

Pour Argan, qui y assiste souvent, comme pour le spectateur de la pièce, il s'agit d'oublier, le temps d'un spectacle, les sujets plus graves. Le divertissement, au sens général du terme, consiste à rire pour oublier qu'on est mortel.

Le triomphe du bon sens et de la vie

Lorsque le rideau s'ouvre au début de la pièce, Argan, solitaire, examine des listes de remèdes. Cette première scène est représentative du personnage, seul et pétri d'obsessions.

À cette attitude, le dramaturge oppose des personnages gais et pleins de bon sens, Toinette et Béralde. Ils veulent tous deux rendre un peu de lucidité à Argan, mais ils ne s'y prennent pas de la même manière. Béralde utilise le raisonnement. Il cherche à convaincre son frère de son erreur grâce à la force de la logique, développant surtout son argumentation dans la scène 3 de l'acte III : « une grande marque que vous vous portez bien [...], c'est qu'avec tous les soins que vous avez pris, [...] vous n'êtes point crevé de toutes les médecines qu'on vous a fait prendre » (p. 127). Toinette, de son côté, a recours à la preuve concrète : elle cherche à donner à voir les choses, à contraindre Argan à affronter ses illusions. C'est pourquoi elle joue le rôle d'un médecin caricatural dans la scène 10 de l'acte III, conseillant à son patient de « [se] couper un bras, et [se] crever un œil » (p. 150). C'est dans la même logique qu'elle propose à son maître la mise en scène de la fausse mort des scènes 11 à 13, qui fait d'Argan le spectateur de la trahison de son épouse. Toinette et Béralde espèrent tous deux éveiller l'esprit critique d'Argan et peut-être susciter chez lui un éclat de rire.

Fenêtres sur...

 Des ouvrages à lire

D'autres médecins chez Molière

• Molière, *L'Amour médecin* [1665], Belin-Gallimard, «Classico», 2015.
Lucinde feint d'être malade parce qu'elle aime Clitandre et que son père refuse de la marier. Aucun des médecins convoqués ne trouve la source réelle de son mal. La servante, Lisette, propose un nouveau thérapeute: Clitandre, déguisé... Cette pièce courte dresse une amusante satire de la médecine.

• Molière, *Le Médecin malgré lui* [1666], Belin-Gallimard, «Classico», 2013.
Dans cette comédie, Sganarelle, bûcheron de son état, est emmené, de force, au chevet d'une jeune fille, prétendument malade, car on le croit médecin! Sganarelle va découvrir les avantages de ce nouveau métier et poursuivre la supercherie, pour le plus grand plaisir des spectateurs.

Une autre pièce mettant en scène un médecin

• Jules Romains, *Knock ou le Triomphe de la médecine*, [1923], Belin-Gallimard, «Classico», 2008.
Knock, un médecin qui vient de s'installer dans un village, propose des consultations gratuites pour se créer une clientèle nombreuse. Il invente des maladies à chacun pour se rendre indispensable... Une pièce facile à lire et très drôle.

La vie et l'œuvre de Molière

• «*Le Malade imaginaire*», dans *Virgule* n° 66, Faton, 2009.
Ce dossier illustré présente le contexte historique de la pièce, un résumé des actes et des intermèdes. On y explique aussi le goût de Louis XIV pour la danse ainsi que les rapports difficiles de Molière avec les médecins.

• Marie-Christine Helgerson, *Louison et Monsieur Molière*, Flammarion, «Flammarion jeunesse», 2010.
Louison, petite Lyonnaise de dix ans, est une fille de comédiens, passionnée de théâtre. Un jour, toute la famille déménage à Paris car les parents vont entrer dans la troupe de Molière. Louison va tout mettre en œuvre pour se faire remarquer par le grand auteur...

L'histoire du théâtre

• André Degaine, *Histoire du théâtre dessinée*, Nizet, 1992.
Un ouvrage très complet sur l'histoire du théâtre, des origines à nos jours, entièrement écrit et illustré à la main par l'auteur.

L'histoire de la médecine

• Steve Parker, *La Médecine*, Gallimard jeunesse, «Passion des sciences», 1995.
Ce très beau livre retrace l'histoire de la médecine grâce à de nombreuses illustrations. On y découvre objets étonnants et inventions extraordinaires qui ont été à l'origine des grands progrès de la médecine.

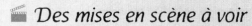 ## *Des mises en scène à voir*

(Toutes les œuvres citées ci-dessous sont disponibles en DVD.)

• **Mise en scène de Georges Werler, avec Michel Bouquet dans le rôle d'Argan, théâtre de la Porte Saint-Martin, Paris, 2009.**
Les comédiens savent à la fois mettre en évidence la cruauté des personnages qui utilisent les fragilités d'Argan et déclencher le rire des spectateurs.

• **Mise en scène de Colette Roumanoff, avec Renaud de Manoël dans le rôle d'Argan, théâtre Fontaine, 2011.**
Renaud de Manoël et Isabelle Laffite forment un duo dynamique et comique. La mise en scène est très colorée et les intermèdes s'inspirent de la commedia dell'arte.

• **Mise en scène de Christian de Chalonge, avec Christian Clavier dans le rôle d'Argan, 2008.**
Christian de Chalonge donne une version filmée de la pièce en la situant dans un château.

Des œuvres d'art à découvrir

(Toutes les œuvres citées ci-dessous peuvent être vues sur Internet.)

• **Jan Steen, *La Visite du médecin*, huile sur toile, 1661, Londres, musée Wellington.**
Dans cette scène de consultation médicale au XVIIe siècle, le sourire du médecin et l'enfant tenant un arc, qui pourrait représenter le dieu Cupidon, peuvent laisser penser que la jeune fille souffre... d'un chagrin d'amour.

• **Adriaen van Ostade, *L'Analyse*, huile sur bois, 1666, Paris, musée du Petit Palais.**
Ce tableau représente l'un des gestes traditionnels effectués par les médecins pour établir un diagnostic au XVIIe siècle.

• Willem van Miereveld, *La Leçon d'anatomie de Willem van der Meer*, huile sur toile, 1617, Delft, hôpital municipal.
Cette toile reproduit une séance de dissection, pratique qui commence à se développer au XVIIᵉ siècle.

@ Des sites Internet à consulter

Sur Molière

• www.toutmolière.net
Un site très complet sur la vie et l'œuvre de Molière, avec des commentaires et des résumés de pièces.

• www.comedie-francaise.fr
Grâce à ce site, visitez la Comédie-Française et consultez des informations sur l'histoire du théâtre et sur la vie de Molière. Vous pourrez également y voir une photographie du fauteuil dans lequel il a joué Le Malade imaginaire.

Sur *Le Malade imaginaire*

• www.ina.fr
Ce site permet de voir un extrait de l'églogue du Malade imaginaire, mis en scène par Jean-Marie Villegier au théâtre du Châtelet en 1990, avec la musique de Marc-Antoine Charpentier.
On y trouve aussi une vidéo rapportant les propos de Michel Bouquet sur Le Malade imaginaire et des extraits de la pièce, mise en scène en 1988.

Sur Marc-Antoine Charpentier, compositeur de la musique des intermèdes

• www.charpentier.culture.fr
L'introduction de ce site présente rapidement le musicien. En cliquant sur l'auditorium, on peut écouter un extrait de la musique du dernier intermède du Malade imaginaire.

Fenêtres sur...

ISBN 978-2-7011-8339-8   ISSN 1958-0541

© Éditions Belin / Éditions Gallimard, 2014 pour l'introduction, les notes et le dossier pédagogique.

Cet ouvrage a été composé par Palimpseste à Paris - Iconographie: Any-Claude Médioni.
Imprimé en Espagne par Novoprint (Barcelone) - Dépôt légal: avril 2014 - N° d'édition: 70118339-02/avril15